CB140173

A caro amigo

com votos de paz.

/ /

Dalvany Pereira Vale
Psicóloga
CRP 13-2729

Alírio de Cerqueira Filho

SAÚDE EXISTENCIAL

o despertar para a essência da vida

Saúde Existencial

Editor: Miguel de Jesus Sardano
Coordenador Editorial: Tiago Minoru Kamei
Revisão: Rosemarie Giudilli Cordioli
Capa: Thamara Fraga
Diagramação: Tiago Minoru Kamei
1ª edição - 2008
3ª impressão - agosto de 2013 - 2.000 exemplares
Impressão: Lis Gráfica e Editora Ltda

EBM EDITORA
Rua Silveiras, 23 | Vila Guiomar
CEP: 09071-100 | Santo André | SP
Tel (11) 3186-9766
e-mail: *ebm@ebmeditora.com.br* | *www.ebmeditora.com.br*

Dados Internacionais de Catalogação na Publicação (CIP)
(Câmara Brasileira do Livro, SP, Brasil)

Cerqueira Filho, Alírio de
Saúde existencial / Alírio de Cerqueira Filho. - - 1. ed. - - Santo André, SP : EBM Editora, 2008.

Bibliografia.

1. Autoconsciência 2. Consciência 3. Psicologia transpessoal 4. Psicoterapia transpessoal 5. Transformação (Psicologia) 6. Vida espiritual I. Título.

08-07708 CDD-150.198

Índices para catálogo sistemático:

1. Psicologia transpessoal : Autoconsciência e transformação 150.198

ISBN: 978-85-87011-24-4

Alírio de Cerqueira Filho

SAÚDE EXISTENCIAL

o despertar para a essência da vida

Sumário

Apresentação

Vivemos hoje em dia em uma sociedade em que há uma profunda inversão de valores. O valor do Ser Humano reside em **ter**, **fazer** e **parecer**, em detrimento do **Ser.**

Essa inversão de valores tem gerado uma crise existencial jamais vista em outros tempos, devido a essa fragmentação do **Ser Humano**, tornando-o um **"ter"** humano.

Para a sociedade atormentada em que vivemos, os valores materiais vêm em primeiro lugar. Essa busca de uma razão para viver, puramente, materialista tem produzido o que a medicina e a psicologia modernas denominam de "**doenças de sentido**".

Doenças diversas do corpo e da mente são vistas, hoje, por muitos médicos e psicólogos espiritualistas, como doenças existenciais, causadas por um distanciamento do Ser Humano do verdadeiro sentido da vida.

Apesar de todo avanço tecnológico, doenças que expressam a falta de sentido na vida têm aumentado de maneira assustadora, a ponto de se tornarem verdadeiras pandemias.

Depressão, suicídio, alcoolismo, abuso de drogas, doenças degenerativas, etc. são pedidos de socorro de uma sociedade atormentada, carente de valores espirituais próprios do Ser Humano.

É fundamental que busquemos, individual e coletivamente, despertar para a essência da vida, única forma de cura para as pessoas que passam por essas doenças existenciais, fruto da crise de valores que estamos vivendo.

O Ser Humano está carente de mais sentido para a sua existência, com a finalidade de torná-la mais saudável. É esse o tema deste livro, ***Saúde Existencial: o despertar para a essência da vida***, mais uma obra da coleção *Saúde Espiritual*.

Trata-se de uma obra para todos aqueles que estão cansados dessa vida sem sentido, em que os valores materiais ditam a forma de viver, mesmo para pessoas que já têm concepção espiritualista da vida, conforme veremos.

Do mesmo modo que em outras obras que lançamos anteriormente, baseamo-nos no Evangelho de Jesus e na Codificação Kardequiana, enriquecidos com os conceitos da psicologia transpessoal.

O leitor vai encontrar algumas Passagens Evangélicas já estudadas em outras obras de nossa autoria, com os conceitos aprofundados e adaptados ao tema que estamos abordando presentemente.

Em nossa modesta opinião, a repetição do estudo de determinadas Passagens Evangélicas, longe de ser redundante, leva-nos a conclusões que antes não havíamos apurado.

Por isso, não nos cansamos de estudar algumas parábolas de Jesus em diferentes contextos, pois a riqueza dos seus ensinamentos torna o estudo minucioso muito agradável e proveitoso.

Desejamos a todos uma excelente leitura.

O autor,

Cuiabá, maio de 2008.

Capítulo 1

O sentido da vida

Você, em algum momento de sua vida, já se percebeu questionando sobre o porquê de sua existência? Ou sobre qual o sentido de sua vida? Saiba que você não está sozinho nessas indagações. Estes e outros questionamentos semelhantes já devem ter passado, algumas vezes, pela mente da maioria das pessoas. Muitos não encontram as respostas ou as obtêm de forma vaga. Certamente, existe um motivo para a nossa existência neste mundo.

Muitas vezes ouvimos as pessoas dizerem que não veem sentido para a vida. "Por que viver em um mundo de tanto sofrimento e amargura?". "Viver é sofrer". "Viver para quê, para ter desilusões?!". Esta e outras frases semelhantes são muito corriqueiras. O que leva uma pessoa a ter tais pensamentos? A resposta mais evidente a essa questão é a visão materialista, niilista da vida. Observando a vida sob um ângulo exclusivamente material ela se torna sem sentido. Viver é um fardo muito pesado e sem razão de ser.

Ao contrário, dentro de uma visão transpessoal, espiritual profunda, a vida tem um sentido. Nesta visão, viver é uma experiência fascinante, quando despertamos a nossa consciência rumo ao infinito. Dentro de um enfoque espiritualista a vida é um maravilhoso desafio, com muitos obstáculos é verdade, mas que, ao invés de representarem sofrimento, significam alavancas de apoio para o crescimento pessoal e transpessoal.

A partir desse enfoque, o propósito maior da vida de todos nós é cumprir uma finalidade cósmica. Sabemos que existe uma Consciência Cósmica, uma Grande Energia de Luz e Amor Inteligente Criadora do Cosmos e da Vida, que denominamos Deus, que criou todo o Universo com uma finalidade útil, desde um simples átomo até uma Galáxia, tudo existe ocupando um determinado papel, interagindo entre si, formando o todo, o Holos.

Dentro desse todo, cada ser vivo desempenha uma finalidade específica e nós Seres Humanos, além do nosso papel na condição de seres vivos, em um corpo físico, temos uma missão maior, espiritual que é a nossa evolução para o amor e para a plenitude do ser.

Todos nós temos a missão de nos tornar plenamente felizes. Buscar um sentido para a vida é encontrar o nosso eu verdadeiro, através da busca constante de conhecimento sobre nós mesmos e do desenvolvimento dos nossos potenciais enquanto Seres Espirituais que somos.

Por que são poucas as pessoas que conseguem se encontrar conforme dissemos acima? Por que muitas, ao contrário, estão doentes, infelizes, deprimidas? Por que surgem doenças físicas e mentais em nossas vidas que se constituem em verdadeiras prisões sem grades? Por que doenças como a depressão, o suicídio, o alcoolismo, o abuso de drogas, o mal de Alzheimer e outras doenças degenerativas têm aumentado de incidência?

A resposta a todas essas perguntas é uma só: a falta de sentido na vida, geradora de doenças existenciais, produzidas pelo materialismo.

Em uma visão profunda a respeito de saúde, todas as vezes que nos distanciamos do ideal de espiritualidade, que todos os seres humanos são convidados a desenvolver, o resultado é a carência interior. Essa carência interior começa no Espírito que somos que se distancia do seu Eu Divino, gerando para si mesmo conflitos existenciais, que estarão lhe adoecendo a mente e o corpo.

Em uma sociedade atormentada na qual impera a inversão de valores, aproximar-se do ideal de espiritualidade, em que buscamos o Ser, ainda representa entrar pela porta estreita. A maioria cultiva a porta larga do materialismo, mesmo afirmando ser um espiritualista, inclusive muitos de nós espíritas.

Estudemos a Parábola da "Porta Estreita" [1] em que Jesus nos convida ao caminho que conduz à vida.

> Entrai pela porta estreita, porque larga é a porta, e espaçoso, o caminho que conduz à perdição, e muitos são os que entram por ela; e porque estreita é a porta, e apertado, o caminho que leva à vida, e poucos há que a encontram.

[1] Matheus: 7, 13-14.

Podemos elaborar alguns questionamentos a respeito dessa parábola: Por que essa porta é tão estreita? Por que poucos conseguem passar por ela? O que tem depois da porta estreita? Se a porta larga leva ao caminho espaçoso da perdição, o que representa essa porta?

Analisemos os símbolos colocados por Jesus nesses versículos, na questão que estamos trabalhando – o sentido da vida.

Quando Jesus faz o convite usando o verbo no imperativo: "Entrai pela porta estreita" é porque o que a maioria das pessoas está buscando é a **porta larga**. O que está depois dessa porta larga? O caminho espaçoso que conduz à "perdição", simbolizando a busca das ilusões de uma vida centrada na inversão de valores, no materialismo, com o objetivo de se adquirir a felicidade em **fazer** e **ter** coisas, em **parecer** quem não se é, enfim, em se adquirir valores falseados, que conduzem a um vazio existencial e às doenças de falta de sentido.

Se questionarmos as pessoas que estão entrando pela "porta larga" todas elas dirão que estão buscando a felicidade, contudo elas colocam essa felicidade fora de si mesmas – nas coisas, nos bens, nos relacionamentos, em um corpo perfeito por fora com uma plástica invejável, enfim, em questões puramente materiais; com isso distanciam-se cada vez mais da verdadeira felicidade que está atrás da "porta estreita", no "apertado caminho que leva à vida".

Para entrar pela "porta estreita" é necessário um movimento de autoconsciência. Por isso que ela é estreita e "poucos há que a encontram", exatamente porque ainda são poucas as pessoas que buscam viver de forma autoconsciente uma Vida com "V" maiúsculo, espiritualmente saudável.

Entrar pela porta estreita representa uma dificuldade maior e por isso a necessidade da ação de uma vontade firme, de um processo motivacional real que mobilize os esforços necessários para se entrar por ela. Porém, ir por esse caminho nos traz muita satisfação e felicidade, pois significa a libertação de uma vida sem sentido.

Portanto, entrar pela "porta estreita", para passar pelo "apertado caminho que leva à vida", significa despertar para a essência da vida.

Estudemos a seguir outra fala de Jesus que leva à reflexão sobre a vida: "Andai enquanto tendes a luz para que as trevas não vos apanhem".[2] Jesus nos orienta aqui para aproveitarmos o tesouro do tempo. "Andai enquanto tendes luz" significa aproveitar o tempo para buscarmos o verdadeiro sentido da vida.

Muitas pessoas que estão entrando pela "porta larga" dizem que aproveitar a vida é gozar de tudo aquilo que ela proporciona de forma prazerosa. São pessoas focadas nos valores falseados do ego. O que irá acontecer com essas pessoas? As trevas da ignorância acerca dos valores espirituais, essenciais vão apanhá-las, pois não aproveitaram o tempo para buscar os verdadeiros valores.

Aproveitar a vida é aproveitar todos os recursos que temos para viver a Essência Divina que somos desenvolven-

[2] João: 12, 35.

do valores espirituais que nos iluminarão internamente para que, a partir dessa autoiluminação, as trevas jamais nos apanhem.

Muitas pessoas assim o dizem quando são chamadas à espiritualização de suas vidas: "depois que eu ganhar bastante dinheiro eu penso nessas coisas". Para essas pessoas a busca espiritual consiste "nessas coisas" que sempre colocam distantes de si mesmas. Fogem do Ser que são, como se isso fosse possível.

Dizem: "Quando eu tiver uma vida estabilizada, financeiramente, começo a cuidar mais dessas coisas". É um ledo engano, pois a pessoa fica projetando para o futuro algo que a vida a convida realizar no presente. Quem é que garante que ela vai ter aquele tempo depois para "fazer luz"?

Por isso, é necessário aproveitar o tempo aqui e agora e evitar afirmações tais quais: "quando eu isso, quando eu aquilo, quando eu... vou vivenciar mais o espiritual". Se aproveitarmos o momento presente para desenvolver a luz em nós mesmos, qualquer que seja o nosso futuro, estaremos bem.

O tempo é um verdadeiro tesouro. Usá-lo adequadamente significa tê-lo a nosso favor, mas irrefletidamente, significa entrar em um movimento muito comum: o de não usar bem o tempo e depois que ele passa, por não termos aproveitado a oportunidade, lamentamos o tempo perdido, que não vai retornar e perdemos tempo nos lamentando por ter perdido tempo, formando um círculo vicioso.

É fundamental aprender com os erros, ao invés de se lamentar. E é importantíssima a boa utilização do tempo. O tempo presente é, portanto, uma grande dádiva que Deus nos oferece para que possamos evoluir, contudo, nem sempre aproveitamos esse presente.

Vejamos que Jesus diz: "Andai enquanto tendes a luz para que as trevas não vos apanhem". Que luz é essa de que Jesus fala? É a luz interior? Ou é outra luz? A luz interior nós não perdemos nunca, não é? Então, não é da luz interior que Ele está falando, pois essa luz nós jamais perdemos. O que podemos perder são as oportunidades do presente, do próprio tempo, enquanto temos a luz. Jesus está falando dos dias claros, do tempo presente, das oportunidades de espiritualização, para que as trevas da ignorância não nos apanhem.

Porém, não há necessidade de se entrar em ansiedade e tentar evoluir rapidamente, pois, às vezes, diante de uma orientação tal como essa, entramos em ansiedade querendo acelerar o tempo. Jesus diz, claramente, para andarmos enquanto temos a luz. Isso não significa nos desesperar e corrermos porque as "trevas" vão nos pegar.

"Andai" significa, de uma forma serena, tranquila, sem desespero, sem ansiedade, a fim de trazermos a luminosidade do presente para o futuro. Se aproveitarmos as oportunidades de evolução enquanto tivermos a luz, as trevas vão nos apanhar? Não, as "trevas" não nos apanharão, jamais, porque aproveitamos o tempo para andar, isto é, para evoluir. A luz do dia vai terminar, mas quando isso ocorrer nós já teremos chegado ao lugar onde deveremos estar. Simbolicamente, é a realização dos compromissos assumidos para a atual reencarnação.

Então, não há o que temer em relação às "trevas". O que precisamos é cuidar de usar bem o tempo presente, enquanto encarnados, para nos espiritualizar, pois quando não aproveitamos a oportunidade da reencarnação para nos espiritualizar, as "trevas" da ignorância fazem-se presentes em nossa vida.

Em um movimento de autoengano, muitas pessoas dizem que o tempo resolve todos os problemas, como se a solução de problemas fosse algo passivo. É muito comum as pessoas dizerem: "Deixe que o tempo resolva". Se isso fosse verdadeiro a evolução seria muito fácil. Como somos espíritos imortais não precisaríamos realizar ação alguma, pois o tempo se encarregaria de nos fazer evoluir. Quando pensamos assim o tempo passa e as "trevas" nos alcançam, uma vez que não cuidamos de desenvolver a luz interior enquanto havia tempo.

Na verdade, a resolução de problemas é algo ativo. O tempo é nosso aliado nesse processo, contudo, somos nós que resolvemos os problemas, ao longo do tempo, quando nos dispomos a isso.

O tempo é uma das dádivas de Deus, que nos legou a eternidade para evoluirmos. Entretanto, é necessário todo o empenho para superarmos, ativamente, a ignorância que ainda nos caracteriza, dentro de nossas possibilidades, utilizando a reencarnação presente.

Muitas pessoas dizem que vão buscar a espiritualização na próxima encarnação. Alguns dizem isso até com certo desdém, como se caçoassem daqueles que buscam se espiritualizar, realizando esforços para isso. Podemos fazer isso? Sim, claro. Temos toda a liberdade para deixar para depois o que podemos fazer agora, mas isso não nos convém, porque toda ignorância com relação à vida não superada hoje se transformará nas "trevas" do amanhã, que nos apanhará desprevenidos.

Vivendo assim, continuaremos ignorantes a respeito das questões espirituais da vida desenvolvendo, cedo ou tarde, as doenças existenciais que nos apanharão, ainda nessa encarnação ou mais tarde, na vida espiritual, com consequências ainda mais difíceis de ser resolvidas nas futuras reencarnações.

Portanto, é fundamental que entremos pela "porta estreita que conduz à vida" para que as "trevas não nos apanhem" e, a única possibilidade disso acontecer é nos tornando aprendizes da vida.

Aprendiz da vida

Estudemos a seguir um dos principais convites que Jesus vem nos fazendo há muito tempo, em uma das passagens mais belas do Seu Evangelho anotada por Mateus: [3]

> Vinde a mim, todos os que estais cansados e oprimidos, e eu vos aliviarei.
> Tomai sobre vós o meu jugo, e aprendei comigo, que sou manso e humilde de coração, e encontrareis descanso para a vossa alma.
> Porque o meu jugo é suave, e o meu fardo é leve.

[3] Mateus:11, 28-30.

Muitas pessoas dizem-se cansadas de viver uma vida sem sentido. Sentem-se oprimidas com os acontecimentos em suas vidas. Milhões de pessoas em todo mundo vivem assim. O que há de errado com essas pessoas? Em que a vida delas difere de outras que apesar de levarem vidas difíceis, sentem-se felizes e esperançosas em um futuro melhor?

As pessoas que reclamam que suas vidas são fardos muito pesados, e que seguem por um caminho muito perverso, necessitam avaliar a respeito, pois alguma coisa está errada e não é com a vida, mas com a forma como a estão conduzindo. Reflitamos sobre isso à luz dos versículos acima mencionados.

Jesus convida a irem até Ele todos aqueles que estão cansados e oprimidos. De onde surgiu esse cansaço e essa opressão? Em algum momento nós mesmos os criamos em nossa vida.

Qual é o significado profundo de ir até Jesus? É ir ao encontro do amor que Ele representa. Poderíamos substituir o "Vinde a mim" por "Vinde ao amor que Eu represento".

Onde está o amor? O amor está dentro de nós. Jesus nos convida a irmos ao encontro desse amor. Ele diz que quando formos ao encontro desse amor haverá alívio do cansaço e da opressão que produzimos.

Depois Ele propõe, como condição para que esse alívio aconteça, um novo convite: "Tomai sobre vós o meu jugo". O que é o jugo de Jesus? É o direcionador da nossa vida. O que irá direcionar a nossa vida para longe do cansaço e da opressão? Novamente o amor.

O jugo de Jesus é o direcionamento amoroso que podemos dar à nossa vida. Sempre temos três opções para guiar a nossa vida: o amor, o desamor e o pseudoamor.

O amor é a primeira opção que Deus nos oferece para evoluirmos, quando usamos bem o livre-arbítrio. Quando o usamos mal temos as opções do desamor e do pseudoamor, que tentam ocultar o amor. O desamor e o pseudoamor são as consequências de seguirmos pela "porta larga", pelos largos caminhos, sem aproveitar o tempo para caminhar enquanto temos a luz, as oportunidades de evoluir que somente uma escolha amorosa nos proporciona.

Quando agimos assim com rebeldia frente à vida, não a aproveitando como uma dádiva divina para a nossa evolução, atuamos com desamor por nós mesmos. O resultado é a ampliação cada vez maior do cansaço, da aflição, do desespero, da angústia em que vivemos. Podemos fazer isso com a nossa vida? Sim, podemos, porém não nos convém.

A atitude emocionalmente mais inteligente é aceitar o convite de Jesus e ir ao encontro do amor. Acedendo a esse convite tornaremos nossa vida mais suave. Encontraremos o alívio necessário para evoluir com paz e felicidade. Porém, como faremos isso? Jesus faz um novo convite para nos mostrar o caminho, quando Ele diz: "Aprendei comigo, que sou manso e humilde de coração".

Jesus nos convida a sermos aprendizes d'Ele. Ele é o Mestre Maior. O que significa ser aprendiz do Mestre dos mestres? Como nos reporta a questão 625 de *O Livro dos Espíritos*[4], Jesus é o tipo mais perfeito que Deus tem nos ofere-

[4] Allan, KARDEC, *O livro dos espíritos,* p. 308.

cido para nos servir de guia e modelo. Como é ser aprendiz de um Mestre que é o modelo "da perfeição moral a que a Humanidade pode aspirar na Terra"?

Percebamos que nos versículos acima Jesus convida aqueles que estão cansados e oprimidos, isto é, aqueles que já estão cansados de seguir pela "porta larga", aquela que conduz à perdição, e colhidos pelas "trevas" da aflição e que reconhecem os erros cometidos, fruto de suas próprias escolhas. Ao reconhecer os seus equívocos desejam seguir pela "porta estreita".

Portanto, aceitar o convite para ser um aprendiz de Jesus é ir ao encontro da essência da vida. O objetivo principal da vida é aprender a amar. A essência do convite de Jesus é aprender com os nossos erros e acertos para nos aproximarmos de Deus, através d'Ele.

Em nossa atual condição evolutiva, como é ser um aprendiz? O aprendiz é uma pessoa que acerta e erra. Aliás, erra mais do que acerta. Muitos de nós, no ato de errar, abdicamos da condição de aprendizes, porque nos culpamos pelos erros. Jamais um aprendiz deve se culpar por um erro. Se ele o fizer estará exigindo de si mesmo não o *status* de aprendiz, mas o *status* de mestre.

Quem não erra jamais é o mestre. O Mestre Jesus é um Espírito que alcançou tal evolução que não erra mais. Aqueles de nós que somos aprendizes vamos errar muito, ainda. O que nos gera essa culpa por termos errado? O orgulho e a rebeldia, que são os sentimentos contrários à mansidão e à humildade de coração que Ele diz ser a condição para o aprendizado.

O orgulho e a rebeldia fazem com que nos sintamos humilhados, perturbados pelo erro cometido e aí criamos uma grande opressão para nós mesmos que é a culpa. A culpa é formada por três sentimentos: autojulgamento, autocondenação e autopunição. Essa atitude não nos auxilia de modo algum. Autojulgar-nos, condenar-nos e nos punir só vai aumentar a nossa aflição. Tentamos superar o erro anterior com um erro maior ainda. Podemos fazer isso? Podemos, mas não nos convém. Isso representa sofrimento desnecessário.

Jesus nos convida a termos que tipo de atitude? Jesus nos convida a sermos aprendizes d'Ele. Como o aprendiz aprende? Fazendo exercícios, não é verdade? Portanto, é necessário que o aprendiz faça exercícios de mansidão e de humildade de coração, quantos forem necessários, para realizar a única coisa positiva que ele pode fazer com um erro: assumir a responsabilidade e se arrepender de tê-lo cometido, refletir para poder aprender com ele, para depois repará-lo.

Todos nós somos convidados a esse tipo de atitude. Então, o erro, analisado sob esse ponto de vista, é sempre útil para o nosso aprendizado, para o nosso crescimento. Quando queremos somente acertar, tentamos nos igualar aos mestres, sem passar pelo caminho da maestria. Isso não é possível. Só poderemos ser mestres um dia, depois de passarmos por todo o caminho que leva à maestria e não por decreto do tipo: "Eu faço tudo certo ou eu me julgo, me condeno e me puno até que faça certo". Como podemos chegar a algo certo de forma errada? Não há como produzir algo, corretamente, praticando equívocos, um após o outro.

A culpa é, portanto, um grande equívoco. É mais errada do que o próprio erro que a gerou, porque é uma tentativa de abafar o erro com outro erro maior ainda. A culpa é tão equivocada quanto a desculpa, quando se comete um erro. São dois movimentos extremistas muito comuns, a culpa e a desculpa.

A pessoa que se desculpa tenta abafar a consciência fugindo dela, como se isso fosse possível. Ela tenta justificar o erro cometido, normalmente projetando o erro nos outros. A maioria das pessoas oscila entre esses dois extremos, a culpa e a desculpa, opções completamente ineficazes, que não geram aprendizado.

Existem pessoas que se desculpam por terem uma vida de péssima qualidade, colocando a culpa nos outros, na sociedade, no governo e até em Deus. Dizem assim: "Se meu marido (esposa, pai, mãe, etc.) não fosse desse jeito que é eu seria mais feliz"; "A sociedade em que vivemos é muito violenta e por isso não dá para ser feliz"; "Que mal eu fiz a Deus para merecer uma vida tão ingrata", etc. São frases, por meio das quais a pessoa expressa sua tentativa de isenção de responsabilidades sobre suas próprias escolhas, projetando as suas dificuldades nos outros.

A desculpa, na verdade, é um processo de acomodação. A pessoa diz assim: "Ah! Vou largar mão. Não tem jeito. A vida é assim mesmo". Ela projeta as suas dificuldades para fora de si mesmo e se desculpa. Como a desculpa não resolve o problema, logo ela volta para a culpa; com isso ela cria para si essas situações extremamente prejudiciais. Podemos fazer isso com a nossa vida? Podemos, porém não nos convém.

Fazer isso com a nossa vida produz vazio existencial muito grande, adoecendo a mente e o corpo. Fundamental, portanto, é buscar um sentido para a vida. O grande sentido para todos nós é, exatamente, ser um **aprendiz da vida**. Esse é o maior sentido da nossa vida.

Estamos encarnados, convidados a aprender para evoluir, para crescer. Todas as dificuldades que nos surgem são um convite ao aprendizado, até aquelas que criamos seguindo pela "porta larga" e que nos trazem as "trevas" da aflição.

Em quaisquer situações a vida nos convida a aprender com os erros e acertos. Então, é uma oportunidade de, a partir desse convite de aprendizado, crescer, evoluir. Se estivermos crescendo, evoluindo sempre estaremos realizando aquilo que viemos fazer neste mundo ao reencarnarmos.

Se, ao contrário, fugirmos desse aprendizado e nos comportarmos como um "burro xucro", que fica empacado e só anda na base da esporada, vamos sofrer desnecessariamente. Ao fazermos essa escolha, não seguiremos o convite de Jesus para "andarmos", espontaneamente, enquanto "temos luz".

No entanto, ao assumirmos a condição de aprendizes vamos, amorosamente, andar em direção àquilo que nos propusemos antes de encarnarmos. Isso não significa que nos tornaremos pessoas perfeitas de uma hora para outra, em uma única encarnação, porque isso não é possível, mas iremos nos aperfeiçoar sempre, até alcançarmos a posição de mestres ao longo do tempo.

Esse é o convite de Jesus. Ao aceitarmos o convite, o que vai acontecer? O jugo se tornará suave e o fardo se tornará leve. Portanto, não vamos resolver todos os problemas de uma hora para outra. Vamos solucionar um problema de cada vez, de forma suave. Agindo assim o fardo será leve.

Percebamos que existe sempre um fardo a ser carregado. Enquanto formos aprendizes, existirão problemas a serem resolvidos, sejam os criados em existências anteriores, sejam aqueles provenientes das escolhas atuais, porém resolvendo-os com naturalidade, um de cada vez, o jugo será sempre suave e o fardo leve. Agindo dessa forma, estaremos aperfeiçoando a nossa inteligência cognitiva e emocional, aprendendo sempre, realizando exercícios de mansidão e humildade "de coração".

Sendo assim, se o fardo que estamos carregando durante a vida parece muito pesado, superior às nossas forças, o problema não está no fardo, mas na forma como estamos carregando esse fardo.

Façamos uma analogia. Se carregarmos com desânimo uma caixa pequenina ela se tornará um grande fardo. Da mesma forma, para uma pessoa que desistiu de viver, tentando fugir dos problemas, ou que procura enfrentá-los com rebeldia, com raiva, algo ou uma situação de pequena dimensão torna-se um grande fardo.

Para aquele que escolheu ser um aprendiz da vida existirão dificuldades? Sim, sem sombra de dúvidas. Porém, o aprendiz da vida irá resolver suas dificuldades, buscando se aproximar cada vez mais da solução.

A maioria das pessoas busca fugir dos problemas ou tenta resolvê-los à força. Se nos acomodarmos tentando nos afastar dos problemas, fugiremos também das soluções. Se tentarmos acabar com os problemas "na marra", nos rebelando contra eles, gastaremos muita energia em esforços vãos e não resolveremos o problema. Cedo ou tarde cairemos no cansaço, na desistência e nos acomodaremos na fuga, para logo voltar à rebeldia contra a dificuldade, entrando em um círculo vicioso.

Portanto, as dificuldades que temos não são para ser resolvidas de uma forma coerciva, "na marra", nem tampouco para tentarmos fugir delas, porque isso não é possível. Se, ao contrário, nos aproximarmos das soluções, vamos resolver essas dificuldades de uma forma suave e leve.

A solução de nossos problemas só será possível se aceitarmos o convite de Jesus para sermos aprendizes. O aprendiz da vida está sempre aprendendo em todas as circunstâncias. Ele foca a solução do problema. Quando se erra, cria-se um problema a ser resolvido. Mas, não se deve chafurdar no problema, culpando-se, ou se desculpando. Quando se comete um erro, o ideal é reconhecer de forma responsável que errou. E como pessoa responsável, pode-se aprender com o erro para, posteriormente, repará-lo.

É esse o convite da vida. Se agirmos sempre assim o jugo será sempre suave, o fardo será sempre leve, porque é da vida que as coisas sejam assim. Deus nos criou simples e ignorantes para que aprendamos com os nossos acertos e erros.

Agora, se não aceitarmos a condição de aprendizes, vamos sofrer muito até que aceitemos. Como somos espíritos imortais, Deus permite que não aceitemos a condição de aprendizes da vida, que fiquemos acomodados ou revoltados, indefinidamente, porque cedo ou tarde aprenderemos com esse erro.

Ao fugirmos da condição de aprendizes, sempre teremos como consequência a dor e o sofrimento. Como a dor e o sofrimento são os geradores do cansaço e da aflição que não queremos, fatalmente após cansarmos de sofrer, atenderemos ao convite de Jesus e transformaremos a nossa vida em um aprendizado constante.

Portanto, é fundamental superar a rebeldia a fim de nos convertermos em transformadores, já que a Vida nos convida a nos tornarmos iluminadores, finalidade maior do ser humano.

Fazendo assim, entraremos pela "porta estreita", a que conduz ao "apertado caminho que leva à vida", adquirindo a luz que nos compete. Isso acontecerá com todos nós até nos tornarmos mestres, Espíritos puros, iluminados, um dia.

O transformador da vida

O indivíduo que assume a condição de aprendiz da vida converte-se em um transformador em busca da própria iluminação. É esse o maior compromisso que realizamos, reencarnados no mundo físico.

Podemos ter diante da vida quatro formas de atuação:

- **REBELDE**
- **REVOLUCIONÁRIA**
- **TRANSFORMADORA**
- **ILUMINADORA**

Todas elas têm a mesma intenção positiva: a de não aceitar as condições difíceis que a vida nos apresenta como um convite à mudança. Porém, as duas primeiras têm a intenção positiva, mas, com direções profundamente equivocadas. São posturas eminentemente egoicas, negativas. Somente as duas últimas aliam a intenção positiva a uma direção adequada, realizando, com certeza, aquilo que se propõem: a mudança das condições difíceis da vida, transformando-as e transmutando-as para melhor.

Vejamos as características de cada uma delas:

1 – REBELDE: o rebelde tem um movimento profundamente egoístico e egocêntrico. Ele se volta para si próprio como se tudo, à sua volta, estivesse à sua disposição e da forma como ele acha que deve ser.

A rebeldia é um estágio primário em que a pessoa fixa as suas bases naquilo que precisa realmente ser transformado, mas como está fixada no orgulho, no egoísmo e no egocentrismo, espera que os outros façam isso por ela.

Nessa postura a pessoa assume uma posição de falsa ausência de poder. Ela já sabe o que necessita mudar, sabe como fazê-lo, mas toma uma postura falsa de impotência diante da ação a ser realizada.

Ela não aceita as conjunturas adversas que a vida

apresenta e, contrariamente, adota uma postura passiva, esperando que a mudança aconteça simplesmente, como que por encanto. Que a vida mude. Que Deus mude as coisas para satisfazê-la. Ela se fixa na limitação da passividade, esperando que as coisas mudem a seu bel-prazer.

Ela já quer uma realidade diferente daquela que se apresenta, mas como traz em si o orgulho, que não se dispõe a transmutar, quer que os outros façam isso por ela, especialmente Deus. Porque, se Deus a agrada mudando as conjunturas da vida, ela será feliz, mas como Deus a desagrada não a modificando, ela é muito infeliz.

Tais pessoas não veem as dificuldades da vida na forma de um convite ao aprendizado e por isso se rebelam.

Usando uma metáfora como analogia, imaginemos uma pessoa rebelde andando por um caminho. Ela encontra uma pedra enorme no meio desse caminho, obstaculizando a continuidade da caminhada. Pela rebeldia que a caracteriza fica com muita raiva da situação apresentada e dá um chute na pedra, maldizendo quem a colocou ali. Após ter o pé quebrado por ter chutado a pedra, ela senta e chora, continuando a amaldiçoar a vida ingrata que tem, com obstáculos intransponíveis que ela não pode mudar.

2 – REVOLUCIONÁRIA: o revolucionário é alguém que também não aceita as condições adversas da vida, mas tem uma postura reativa.

É diferente do rebelde, pois ao não aceitar, quer modificar tudo com a força que o movimenta. Por ter essa força desorganizada, revoluciona. Quer mudar tudo de forma caótica, reagindo contra as circunstâncias que a vida apresenta.

Diante de um obstáculo quer acabar com essa barreira, nem que seja "na marra". Faz isso por não se conhecer interiormente, e não saber disciplinar a força que tem em si. Isso resulta em uma tormenta interior, ao invés da pacificação, advinda pelas mudanças.

Nessa postura, o indivíduo assume o movimento da prepotência – poder exercido pela força –, pois se acredita onipotente, capaz de mudar tudo à sua volta. Por isso é revolucionário. Quer mudar tudo e a todos, à força.

Muitas pessoas têm um movimento revolucionário, pois, quando se cansam da passividade reagem contra as condições que a vida apresenta e querem mudar tudo, de uma hora para outra, "na marra". Como isso é impossível de acontecer, voltam para a postura rebelde, a da impotência, pensando que não podem fazer coisa alguma para mudar essa situação.

Muitos passam a vida assim, nesse movimento pendular, ora na situação de onipotência e prepotência, ora na situação da impotência. Porém, cada vez que eles voltam à posição de rebeldia, o movimento passivo da impotência intensifica-se, pois essa reação gasta muita energia, que se torna cada vez mais escassa.

Usando a mesma analogia citada anteriormente, imaginemos uma pessoa revolucionária andando por um caminho. Ela encontra uma pedra enorme no meio desse caminho, obstaculizando a continuidade da caminhada. Pela postura revolucionária que a caracteriza, fica com muita raiva da situação apresentada, maldiz quem a colocou ali, o sistema, a sociedade, etc. e, após isso, sai em busca de dinamite a fim de arrebentar a pedra, custe o que custar.

3 – TRANSFORMADORA: o transformador é alguém que também não aceita as condições adversas da vida, mas tem uma postura proativa, transformando-a para melhor.

Por se conhecer, aceita as situações que não pode mudar e busca realizar todas as ações para mudar, gradativamente, aquilo que é de seu poder.

Está sempre atento ao poder **real** que traz em si mesmo: o de **realização** e o de **transformação**.

É aquele que elabora e aplica a sua força com inteligência, pois sabe se orientar no processo de mudança.

É alguém que sabe onde está e aonde quer chegar. Alia a boa intenção do desejo de mudar, às dificuldades do caminho, com a direção adequada. Com isso vai **transformando** todos os obstáculos, **realizando** cada ação de forma gradativa e suave.

É o verdadeiro aprendiz da vida, que a transforma de forma que o jugo seja sempre suave e o fardo leve.

Usando a mesma analogia citada anteriormente, imaginemos uma pessoa transformadora andando por um caminho. Ela encontra uma pedra enorme no meio desse caminho, obstaculizando a continuidade da caminhada. Pela transformação que já a caracteriza observa a situação apresentada, estuda-a, usando a sua inteligência cognitiva e emocional para ver se é possível contornar a pedra. A inteligência cognitiva a auxiliará a ver possíveis alternativas para superar o obstáculo e a inteligência emocional a ajudará a se manter serena e tranquila diante do impedimento momentâneo em sua caminhada. Caso perceba a total impossibilidade de continuar por aquele caminho, volta e busca outro caminho para continuar a jornada.

4 – ILUMINADORA: o iluminador é aquele que depois de se transformar, transmuta-se, Iluminando-se.

É alguém que, depois de ter superado o nível de todas as formas, angeliza-se. É o último estágio de evolução, no qual a criatura plenifica-se, após realizar toda transformação interior. Passa, a partir daí, a iluminar o caminho de outras pessoas.

Essa é a condição de Jesus e de muitos de Seus apóstolos em nossas vidas.

*****

É fundamental que todo aquele que deseja despertar para a essência da vida, adquirindo a saúde existencial, reflita sobre as suas ações de rebeldia e as tentativas de revolucionar, e se torne um **transformador**.

Ao **realizar** essas ações vai, aos poucos, **transformando** em si mesmo, a tendência à onipotência causada pelo orgulho – geradora tanto da rebeldia, quanto da revolução –, para transformar as situações adversas, que somente dependem de seu esforço pessoal.

É essencial que reflita que a vida, em todas as suas manifestações – sejam elas adversas, ou prazerosas –, é um convite para o despertar do Cristo Interno, a Essência Divina manifesta em cada um de nós. Essa é a nossa genética espiritual, o amor, a perfeição, o divino, o transcendente.

Em todas as situações, temos convites ininterruptos à prática desse exercício. Isso é a vida. A vida em abundância.

A água viva da vida, como disse Jesus. É para desenvolver esse Cristo Interno que reencarnamos.

Em todas as situações, sejam quais forem os conflitos, as patologias, as dificuldades, haverá sempre o Ser Humano e dentro dele a Essência Divina. Nós trazemos em nossa consciência o dever de alcançar essa Essência, identificando-nos com ela.

Todos os obstáculos e dificuldades permitidos por Deus, que ocorrem em nosso caminho, existem com esse objetivo e não para nos rebelarmos ou revolucionarmos, gastando muita energia com esforços vãos que, ao invés de nos direcionar para a nossa Essência Divina e para o nosso Criador, afastam-nos, por largo tempo, da transformação necessária em direção ao nosso Cristo Interno.

Todos os obstáculos que a vida nos apresenta, tais quais: a falta de recursos materiais, as limitações físicas e intelectuais, os transtornos, as dificuldades, o ódio dos inimigos visíveis ou invisíveis, enfim, tudo que nos ocorre, são os desafios que nos levarão a reforçar, em nós, a presença do Amor Crístico de Deus.

É fundamental aceitar a vida como ela é, com as dificuldades e as oportunidades.

É essencial ver a vida como uma dádiva divina, tanto os momentos de alegria e prazer, quanto os de dor e dificuldades.

É necessário que todos nós exercitemos, gradativamente, essa verdade que sintetiza o nosso programa de autoeducação: o amor a Deus e ao próximo como a nós mesmos.

A opção de não nos amar vai gerar uma vida em que o jugo será perverso e o fardo pesado.

Quando usamos o saber para auxiliar o sentir, realizamos ações de transformação em nossa vida, assumindo a condição de aprendizes. Essa é a recomendação de Jesus: "aprendei comigo". O aprendizado acontece em nível do saber. É o conhecimento da verdade. **"[...] e conhecereis a verdade, e a verdade vos libertará".**[5]

Então, todo o processo de transformação começa em nível do saber, mas não termina nesse nível. O saber deve ser introjetado no coração. **"[...] aprendei comigo que sou manso e humilde de coração".**

A introjeção é feita através da reflexão entre a ponte do saber e a do sentir. É necessário fazermos a seguinte pergunta: "Como é sentir leveza e suavidade diante da vida, de acordo com a proposta de Jesus?". Sentir leveza e suavidade é ter uma vida repleta de sentido.

Ao fazermos essa reflexão podemos comparar a vida que estamos levando àquela que podemos ter, a partir do momento que desenvolvermos um sentido gerador de leveza e suavidade. Isso significa fazer exercícios para sentir a verdade, para que ela nos liberte. Não basta conhecer a verdade, é necessário senti-la no coração para que ocorra a libertação.

Após essas reflexões é fundamental realizar questionamentos: "Que ações eu posso programar para obter essa leveza e essa suavidade em minha vida? É uma vida assim que quero para mim?". Então, se queremos, verdadeiramente, uma vida com mais suavidade e leveza, vamos fazer todo

[5] João: 8,32.

esforço necessário para transformá-la nisso que queremos. Isso, com certeza é a melhor escolha que podemos fazer.

Ao fazermos os esforços, estaremos exercitando o autoamor. Ao exercitarmos a suavidade e a leveza tornamos a nossa vida também leve e suave. O autoamor é, portanto, resultado da melhor escolha, em que realizamos esforços continuados, pacientes e perseverantes para tornar a nossa vida repleta de sentido, suavidade e leveza.

Sabemos que esse programa de autoeducação não é fácil de ser realizado e deverá acontecer através de exercícios diários, mesmo que sejam realizados de forma débil no início e, aos poucos, fortalecendo-se pela criação dos novos hábitos.

O transformador, como aprendiz da vida que é, sempre busca um sentido para a vida, direcionando-se ao bem, ao bom e ao belo. Educa a mente para querer-se bem, para se valorizar, para se reorganizar psiquicamente.

É importante refletir que quando realizamos o bem – seja para nós mesmos, seja para o nosso próximo –, o Ser Essencial que somos se amplia sempre, às vezes, minimamente, outras significativamente. Contudo, nenhuma tarefa do bem fica perdida. Todas são registradas pela Essência por uma questão de afinidade, por causa da frequência energética. Por isso, qualquer esforço de equilíbrio sempre valerá a pena, por menor que seja. Esse esforço sempre precisará acontecer, mais cedo ou mais tarde.

Por isso, a saúde existencial será sempre resultado da transformação da vida para melhor, do aprendizado pelas realizações de amor em nossas vidas e no universo à nossa volta.

A confiança na vida

A partir da introjeção do sentimento de aprendiz, tornando-nos transformadores, adquiriremos plena confiança na vida, fundamental para a saúde existencial.

A vida é uma dádiva de Deus. Portanto, tudo o que acontece em nossa vida está sendo supervisionado por Deus. Confiar na vida é saber que não estamos jogados no Universo. Existe um Criador velando por toda a Sua criação, como nos ensina Jesus:

> Por isso, vos digo: não andeis cuidadosos quanto à vossa vida, pelo que haveis de comer ou pelo que haveis de beber; nem quanto ao vosso corpo, pelo que haveis de vestir. Não é a vida mais do que o mantimento, e o corpo, mais do que a vestimenta?
>
> Olhai para as aves do céu, que não semeiam, nem segam, nem ajuntam em celeiros; e vosso Pai celestial as alimenta. Não tendes vós muito mais valor do que elas?
>
> E qual de vós poderá, com todos os seus cuidados, acrescentar um côvado à sua estatura?
>
> E, quanto ao vestuário, por que andais solícitos? Olhai para os lírios do campo, como eles crescem; não trabalham, nem fiam.
>
> E eu vos digo que nem mesmo Salomão, em toda a sua glória se vestiu como qualquer deles.

> Pois, se Deus assim veste a erva do campo, que hoje existe e amanhã é lançada no forno, não vos vestirá muito mais a vós, homens de pequena fé?
> Não andeis, pois, inquietos, dizendo: Que comeremos ou que beberemos ou com que nos vestiremos?
> (Porque todas essas coisas os gentios procuram.) Decerto, vosso Pai Celestial bem sabe que necessitais de todas essas coisas;
> Mas buscai primeiro o Reino de Deus e a sua justiça, e todas essas coisas vos serão acrescentadas.
> Não vos inquieteis, pois, pelo dia de amanhã, porque o dia de amanhã cuidará de si mesmo. Basta a cada dia o seu fardo.[6]
> Não se vendem dois passarinhos por um ceitil? E nenhum deles cairá em terra sem a vontade de vosso Pai. E até mesmo os cabelos da vossa cabeça estão todos contados.[7]

Jesus nos ensina, nesses versículos, a confiar na Providência Divina que vela por todas as Suas criaturas. Confiar na vida significa realizar as ações de transformação que nos compete como aprendizes da vida que somos. Realizando essas ações, fazemos a nossa parte e podemos confiar, plenamente, que Deus fará a parte d'Ele.

Agindo assim, acreditamos que os acontecimentos em nossa vida serão consequências de nossas ações, sejam atuais ou pretéritas. É claro que confiar na Providência Divina não significa excluir a previdência humana, dando o

---

[6] Mateus: 06, 23-34.
[7] Idem, 10, 29-30.

nosso melhor nas ações de transformação de nossa vida para melhor.

Essa confiança nos dá a plena certeza de que Deus vai fazer aquilo que nós não podemos. Isso é a Providência Divina velando. Portanto, tudo o que acontece conosco, que não podemos evitar está dentro da conta da nossa vida.

A nossa vida não é um acidente fortuito, um produto do acaso, como dizem os materialistas. Que depois da explosão do "big bang" as coisas aconteceram, casualmente, sem a intervenção de uma Inteligência Superior comandando tudo em bilhões de anos de evolução. Portanto, existe uma Inteligência Suprema dirigindo toda a vida.

Deus está no comando e não interfere em nossa vida. Esse comando é resultado daquilo que Deus quer para nós – a nossa felicidade. Tudo vai concorrer para a nossa evolução, para o nosso crescimento, propiciando a nossa plenitude como Ser.

Confiar na vida é confiar nesse processo todo, mesmo as aparentes desgraças que surgem ao longo da nossa vida são para o nosso bem. Aparentes porque se olharmos de uma forma míope são desgraças, contudo se olharmos com uma lente que permita a amplitude de visão, nós veremos que se trata de graças, porque nos convidam à evolução.

Por isso, é necessário ter uma profunda gratidão a Deus em todas as circunstâncias. Quando desenvolvemos uma profunda gratidão a Deus, confiamos na Vida, pois tudo o que nos acontece é uma dádiva, caso não seja devido ao mau uso deliberado de nosso livre-arbítrio, e ocorre sob um comando superior, com uma Supervisão Divina, conforme afirma Jesus que até “os cabelos da nossa cabeça estão contados”.

Se Deus sabe quantos fios de cabelo tem na nossa cabeça, tudo está sob a Sua supervisão. Essa fala de Jesus é muito simbólica no sentido de que há um comando permanente no Universo. Jesus nos ensina com isso a fé raciocinada.

Quando confiamos em Jesus e em Deus estamos acreditando que a nossa Vida, com “V” maiúsculo, não é um acidente fortuito do acaso. Para isso, é necessário primeiro desenvolver a autoconfiança, em que realizamos a nossa parte no processo, ao mesmo tempo em que confiamos em Deus, que é o Comandante do Universo.

A nossa vida faz parte de um planejamento maior, que está imanente no Universo inteiro e, nesse planejamento o que existe é o bem, o bom, o belo, o amor, a felicidade, a alegria, sentimentos que derivam da Lei de Amor.

Quando confiamos na vida nos libertamos do medo e da insegurança. A ansiedade proveniente desses sentimentos não se justifica, porque a confiança plena de que não estamos jogados no Universo faz-nos libertar da onipotência de querer controlar tudo à nossa volta. Somente Deus é onipotente, por isso, a necessidade de nos entregarmos ao Seu poder.

Quando nos arvoramos de onipotentes queremos controlar algo que não nos compete. Queremos controlar a vida, como se isso fosse possível. Entramos em confusão porque queremos fazer aquilo que cabe a Deus. Não há necessidade de nos preocuparmos, pois ao realizar a nossa parte

Deus cuida do restante, conforme nos ensina Jesus: "Não vos inquieteis, pois, pelo dia de amanhã, porque o dia de amanhã cuidará de si mesmo. Basta a cada dia o seu fardo".

Pensando assim nos libertamos da onipotência. Isso somente é possível confiando na vida. Se não houver confiança na vida ficamos sempre tentando controlar a tudo e a todos, com medo de perder o controle, tornando o jugo perverso e o fardo pesado.

Realizar a nossa parte tem a ver com o que vimos no versículo acima, "Andai enquanto tendes a luz". É um movimento sereno, tranquilo, com base na autoconfiança. É darmos o melhor que pudermos, porém aceitando que há possibilidades de errar e de acertar. Quando erramos aprendemos com o erro. Quando acertamos, seguimos em frente. Então, isso tudo é confiar na vida. É estar evoluindo de uma forma suave e leve, realizando a nossa parte na Criação.

Capítulo 2

O distanciamento do Reino de Deus: causa de conflitos e doenças existenciais

As doenças existenciais surgem quando vivemos uma vida sem sentido. Estudaremos a seguir a origem dessa falta de sentido, a partir de uma análise psicológica, profunda dos símbolos repletos de significados existenciais, que encontramos na Parábola dos dois Filhos, mais conhecida como "Parábola do Filho Pródigo", conforme narrativa de Lucas: [8]

> E disse: Um certo homem tinha dois filhos.
> E o mais moço deles disse ao pai: Pai, dá-me a parte da fazenda que me pertence. E ele repartiu por eles a fazenda.
> E, poucos dias depois, o filho mais novo, ajuntando tudo, partiu para uma terra longínqua e ali desperdiçou a sua fazenda, vivendo dissolutamente.

---

[8] Lucas: 15, 11-32.

E, havendo ele gastado tudo, houve naquela terra uma grande fome, e começou a padecer necessidades.
E foi e chegou-se a um dos cidadãos daquela terra, o qual o mandou para os seus campos a apascentar porcos.
E desejava encher o seu estômago com as bolotas que os porcos comiam, e ninguém lhe dava nada.
E, caindo em si, disse: Quantos trabalhadores de meu pai têm abundância de pão, e eu aqui pereço de fome!
Levantar-me-ei e irei ter com meu pai e dir-lhe-ei: Pai, pequei contra o céu e perante ti.
Já não sou digno de ser chamado teu filho; faze-me como um dos teus trabalhadores.
E, levantando-se, foi para seu pai; e, quando ainda estava longe, viu-o seu pai e se moveu de íntima compaixão e, correndo, lançou-se-lhe ao pescoço e o beijou.
E o filho lhe disse: Pai, pequei contra o céu e perante ti e já não sou digno de ser chamado teu filho.
Mas o pai disse aos seus servos: Trazei depressa a melhor roupa e vesti-lho, e ponde-lhe um anel na mão e sandálias nos pés, e trazei o bezerro cevado e matai-o; e comamos e alegremo-nos, porque este meu filho estava morto e reviveu; tinha se perdido e foi achado. E começaram a alegrar-se.
E o seu filho mais velho estava no campo; e, quando veio e chegou perto de casa, ouviu a música e as danças.
E, chamando um dos servos, perguntou-lhe que era aquilo.

> E ele lhe disse: Veio teu irmão; e teu pai matou o bezerro cevado, porque o recebeu são e salvo.
> Mas ele se indignou e não queria entrar. E, saindo o pai, instava com ele.
> Mas, respondendo ele, disse ao pai: Eis que te sirvo há tantos anos, sem nunca transgredir o teu mandamento e nunca me deste um cabrito para alegrar-me com os meus amigos.
> Vindo, porém, este teu filho, que desperdiçou a tua fazenda com as meretrizes, mataste-lhe o bezerro cevado.
> E ele lhe disse: Filho, tu sempre estás comigo e todas as minhas coisas são tuas.
> Mas era justo alegrarmo-nos e regozijarmo-nos, porque este teu irmão estava morto e reviveu; tinha se perdido e achou-se.

Toda parábola, na verdade, é um conjunto simbólico. As palavras ocultam o significado real do que se quer dizer. As parábolas de Jesus são as que mais são ricas em simbologia. Podemos interpretar uma parábola de várias maneiras, superficial ou profundamente.

Esta é uma parábola que durante muito tempo foi vista com superficialismo, tanto é, que ela é conhecida como parábola do filho pródigo, porque foi interpretada de forma aparente.

Vista de maneira superficial, é a parábola do filho ingrato que solicita a herança do pai, sai de casa, perde tudo e depois volta arrependido, pura e simplesmente, para os braços do pai, que o recebe muito bem.

A maioria das pessoas interpreta essa parábola de modo que Deus fosse nos receber de braços abertos anulando todos os nossos erros, simplesmente por termos nos arrependido de tê-los cometido. Muitos líderes religiosos utilizam essa imagem para exemplificar como os fiéis devem se comportar. Basta se arrepender e tudo estará resolvido. Essa interpretação, desprovida de profundidade não condiz com os ensinamentos de Jesus.

Estudaremos, a seguir, a interpretação psicológica transpessoal dessa parábola. A psicologia transpessoal oportuniza uma reflexão profunda dos símbolos.

A superficialidade interpretativa começa no próprio título pelo qual essa parábola tornou-se conhecida: "parábola do filho pródigo". Jesus diz claramente em seu início: **"Um certo homem tinha dois filhos"**. Um dos filhos é completamente ignorado, propositalmente, conforme veremos posteriormente.

O objetivo da "parábola dos dois filhos" é chamar a atenção para diferentes tipos de caráter do indivíduo. O homem representa Deus e os dois filhos, a Humanidade.

As características presentes nesses dois filhos existem na Humanidade inteira. Possuímos tanto características do filho mais novo, quanto do filho mais velho. Existem pessoas mais próximas do perfil do filho mais novo em sua primeira fase, outras se identificam mais com ele na segunda fase, e outras ainda apresentam características que se aproximam mais do filho mais velho.

Jesus diz: **"E o mais moço deles disse ao pai: Pai, dá-me a parte da fazenda que me pertence".** Podemos interpretar o filho mais moço tal qual o menos experiente, o menos vivido, com menos capacidade de discernimento.

O que é a fazenda? A fazenda representa todos os bens que Deus nos oferece para evoluirmos, a começar por nosso corpo. Tudo o que existe no Universo pertence a Deus. Até nossos corpos pertencem a Deus, uma vez que não fomos nós quem os criamos. Quando renascemos no mundo o fazemos através de um pai e de uma mãe, que vão doar duas células que se unirão, depois se reproduzirão e formarão o nosso corpo, a partir de leis biológicas criadas por Deus.

O corpo físico, a cada reencarnação, é uma "fazenda" que recebemos para usar bem. Teremos também por empréstimo divino o ar para respirar, a água para saciar a nossa sede, os alimentos, os bens materiais, etc., enfim, tudo o que necessitamos para evoluir durante a experiência reencarnatória e, muitas vezes, malbaratamos esses bens, agindo com prodigalidade, perdendo, momentaneamente, a oportunidade de evoluir.

"E ele repartiu por eles a fazenda". Deus é equânime. A equanimidade divina fica muito clara neste versículo. Quem é que pediu a fazenda? Foram os dois filhos? Não, só o mais novo pediu, mas o pai "repartiu por eles a fazenda". Seria justo se ele desse apenas para um e para outro não? Não seria justo. Então, deu para os dois, apesar de um só ter pedido. O que Jesus está querendo dizer é que Deus é equânime. O que parece que é desigualdade para nós, na verdade é uma interpretação equivocada do seu real significado.

Às vezes renascemos em situações de carência de variada ordem, como: a afetiva, sem uma família, um pai, abandonados pela mãe; a falta de saúde, a carência de bens materiais, etc., para aprendermos a valorizar os bens que detínhamos e malbaratamos, conforme veremos, mais adiante, no estudo da parábola. Portanto, a carência de hoje é resultado do abuso de ontem.

Deus é sempre equânime. Se alguma coisa falta em nossa vida, tenhamos a certeza, não é porque Deus nos escolheu para sofrer, ou nos escolheu para ser pobres, para sermos infelizes e provar a nossa fé, como dizem as pessoas não reencarnacionistas. Se nós nascemos assim é porque em algum momento de nossa vida espiritual abusamos dos bens. Tomamos a "fazenda", símbolo de todos os bens divinos e usurpamos, seja usando mal com egoísmo ou tirando os bens de outras pessoas, por exemplo, para ficar para nós, de maneira egoística e egocêntrica e aí claro, como é da Lei, aquilo que usamos mal ou tiramos dos outros retorna para nós sob a forma de carência.

"E, poucos dias depois, o filho mais novo, ajuntando tudo, partiu para uma terra longínqua e ali desperdiçou a sua fazenda, vivendo dissolutamente".

O filho mais novo apodera-se de todos os bens e parte para uma **"terra longínqua"**. Qual o significado de "uma terra longínqua"? Significa afastamento da "Casa do Pai", isto é, dos ideais de espiritualidade e religiosidade. A "Casa do Pai" representa a nossa Essência Divina. Estar em casa significa estar em comunhão conosco mesmos em essência e com Deus (o Pai na parábola).

O filho mais novo parte para uma "terra longínqua" para cultivar o materialismo, "ajuntando tudo", egoisticamente, para viver "dissolutamente". Ele se afasta da "Casa do Pai" para cultivar os prazeres materiais. Ele ajunta tudo e vai usar os seus recursos, o seu patrimônio espiritual puramente no gozo material.

Ao se afastar desperdiça todos os bens. Esbanja os bens materiais, a saúde, desperdiça tudo. Por quê? Porque passou a viver "dissolutamente". Então, ele dissolve os bens que tinha. Esses bens não são apenas os materiais, são principalmente os espirituais.

Se analisarmos a parábola superficialmente, parece que Jesus está falando somente de coisas materiais, mas é muito mais do que isso. Não significa apenas desperdício material. O filho mais novo desperdiçou todos os bens que estavam à sua disposição, vivendo dissolutamente, buscando o prazer pelo prazer sem, realmente, usufruir dos bens para o crescimento espiritual.

Não é esse o objetivo da vida? Vimos no capítulo anterior que o sentido da vida incide no cultivo do sentimento de aprendiz, naquele que pratica o dever consciencial de evoluir, usando todos os recursos divinos para aprender sempre, sendo gratos a Deus.

Nesse processo contínuo de aprendizado, objetivo maior da vida, ir para "terras longínquas" significa desperdiçar todas as oportunidades que a Vida nos oferece. Todas as vezes que nos aventuramos em "terras longínquas", afastamo-nos de Deus e dos bens divinos que existem à nossa disposição para evoluirmos.

Percebamos que o filho mais novo usou o seu livre-arbítrio para escolher o que lhe parecia o melhor. Todo ser humano, quando reencarna no planeta, pode escolher viver em comunhão com o Criador, utilizando os recursos divinos para o seu equilíbrio e aprimoramento, ou pode usar todos esses recursos para ir para "terras longínquas" e praticar atividades que redundarão em um mal.

É como se a pessoa, ao invés de seguir pelo rumo correto, a estrada certa, pegasse um atalho. O atalho que aponta para "terras longínquas", aparentemente, é mais convidativo. É a "porta larga que conduz ao espaçoso caminho da perdição", referida na "parábola da porta estreita", estudada no capítulo anterior.

O filho mais novo pensa que na "Casa do Pai" está muito monótono, mas nas "terras longínquas" vai ter prazer. Aqui na "Casa do Pai" não acontece muita coisa, lá é que é bom. Pensando assim a pessoa envereda por um atalho, só que esse atalho sempre termina em um abismo.

"E, havendo ele gastado tudo, houve naquela terra uma grande fome, e começou a padecer necessidades".

Todo abuso de hoje vai gerar uma falta amanhã, em qualquer nível que seja esse abuso. Se abusarmos da saúde do corpo hoje, amanhã não a teremos. A mesma coisa acontece com os recursos financeiros, enfim, com tudo aquilo que temos à disposição para evoluir. Quando isso ocorre, o que acontece?

Após ter dissolvido os bens o filho mais novo entra em carência, a "padecer necessidades", fome. Essa fome não é uma fome exclusivamente de alimentos. É uma fome daquilo que existe na "Casa do Pai", abundância de amor. Ele gasta tudo e passa a ter necessidades.

Na parábola, a história é bem linear, o filho vai para "terras longínquas", malbarateia os bens e entra em carência, uma coisa seguida da outra, em uma única existência. Porém, em nossa vida as coisas dificilmente acontecem assim. Muitas vezes passamos existências inteiras indo para "terras longínquas", desperdiçando os bens divinos, para depois, no mundo espiritual ou em uma próxima encarnação, ou em várias, entrarmos em carência, a "padecer necessidades".

"E foi e chegou-se a um dos cidadãos daquela terra, o qual o mandou para os seus campos a apascentar porcos".

Neste versículo há algo bastante sutil. Para entendermos as parábolas de Jesus é preciso que nos reportemos à época em que foram pronunciadas, para o povo que elas foram ditas, com sua realidade cultural, para compreendermos, em profundidade, os símbolos utilizados.

Sabemos que os hebreus não comem carne de porco. Porco é um animal imundo para eles, porque Moisés proibiu, após a fuga do Egito, que eles se alimentassem desse animal, pois nessa época os porcos eram cuidados de uma forma muito rudimentar e, por isso, transmitiam muitas doenças. Moisés, ao proibir, como hábil legislador que era, disse tratar-se de uma proibição divina. Os Hebreus passaram, então, a não comer carne de porcos, por ser este um animal impuro.

O que acontece com o filho mais novo? Ele não foi para uma "terra longínqua"? Em outros países comia-se carne de porcos. Porém, onde existiria um lugar mais abjeto para um judeu trabalhar? No apascentamento de porcos.

Aqui Jesus utiliza esse símbolo para representar o início da derrocada do filho pródigo, assegurando que a única coisa que ele encontrara para fazer fora apascentar porcos, algo extremamente abjeto para um hebreu.

"E desejava encher o seu estômago com as bolotas que os porcos comiam, e ninguém lhe dava nada".

Aqui Jesus se refere, simbolicamente, ao auge da carência. O filho pródigo estava realizando uma atividade abjeta, e nem a comida dos porcos que apascentava tinha para comer.

Se estudarmos a parábola, no sentido literal, este versículo não faz sentido algum. Um trabalhador pode realizar as suas tarefas passando fome? Claro que não. Nem os escravos trabalhavam com fome, porque isso é impossível. Qual é, pois, o significado desse versículo? A fome que Jesus se refere não é a de comida. Ele usou esse símbolo para exprimir que essa fome ninguém pode saciar, a não ser a própria pessoa faminta. Qual é a fome que ninguém nos pode saciar? É a fome espiritual, a fome de amor, a carência interior. Não é possível supri-la de fora para dentro. Na parábola, esta passagem representa o auge da derrocada do filho mais novo. Ele abusa do seu livre-arbítrio e sofre as consequências.

Portanto, todas as vezes que nos afastarmos da Essência Divina que somos e da comunhão com Deus, indo para "terras longínquas", entraremos em uma carência muito intensa que ninguém pode saciar a não ser nós mesmos.

Poderíamos denominar essa atitude do filho mais novo de "**doença existencial**", causada pela pior doença que um ser humano pode cultivar que é dar vazão ao egoísmo e ao orgulho, geradores do egocentrismo.

Reflitamos um pouco mais sobre a doença existencial. Quando o filho mais novo saiu da casa do pai, nem perguntou para o Pai se ele iria sentir a sua falta. Ele simplesmente pensou em gozar. Achou que nas "terras longínquas" haveria toda a sorte de gozos que não existia na "Casa do Pai". Pensou, então, em ir para longe, para gozar, não importando o que pudesse acontecer. Esse é um movimento profundamente egoístico e egocêntrico.

Essa parte da parábola simboliza o movimento daquelas pessoas que vão à busca dos gozos materiais egoisticamente, achando orgulhosamente, que são privilegiados pela vida. O egoísmo e o orgulho são as duas chagas que comandam esse processo. Não se importam em ferir os direitos dos outros para gozar. Desde que estejam satisfeitas, não importa se os demais estão em carência.

Muitas pessoas, ao refletirem sobre a situação moral da Humanidade, especialmente em nosso país, perguntam-se como é possível a indivíduos, por exemplo, elegerem-se para ocuparem cargos públicos, prometendo agir para o bem da população, e depois desviarem dinheiro destinado à saúde, à educação? Como podem fazer isso e ficar lá rindo à toa, escarnecendo daqueles que os elegeram e que esperavam que eles agissem bem? Muitos exclamam, blasfemando: – "Que Deus é esse que permite tudo isso?!". Para os que tiram essa conclusão precipitada poderíamos perguntar: – Deus permite que usemos o nosso livre-arbítrio da forma como desejamos, ou não? Sim, permite, mesmo quando as nossas escolhas são equivocadas.

É o que Jesus coloca na primeira fase da vida do filho mais novo, o uso equivocado do livre-arbítrio. O Pai não falou para ele que não fosse. Não disse a ele que gozar dos prazeres sensuais poderia ser a pior escolha, nem tampouco o incentivou a ir. Com esse símbolo Jesus exprime que Deus sabe que tudo que fizermos utilizando o livre-arbítrio, mesmo que gozar egoisticamente, vai servir de experiência para nós. Mesmo quando produzirmos o mal, terminaremos por retornar ao bem.

Podemos viver assim, utilizando a nossa vida de forma egoística, apenas para gozar, passando por cima dos direitos dos outros? Podemos, porém não nos convém, pois mais cedo ou mais tarde vamos entrar em carência.

Portanto, quando vemos uma situação como essa colocada acima, de um político corrupto que vive tranquilamente, desviando dinheiro público, debochando de tudo e de todos, o que significa? Todos os que agem assim estão na fase de gozo, vivendo dissolutamente, criando doenças existenciais graves para si mesmos. Todos podem viver existências inteiras assim, bloqueando a consciência, acreditando que são os espertos, vivendo à custa dos tolos.

Por outro lado, vemos outras pessoas morrendo à míngua dentro de hospitais superlotados, carentes de todos os recursos. Crianças e adolescentes em escolas completamente desestruturadas, sem condições de receber uma educação digna. Muitos, ao verem essas situações, dizem: – "Que mal essas pessoas fizeram para Deus para merecer isso?". Para Deus não fizeram coisa alguma, porque Deus não se afeta com as nossas mazelas. Fizeram mal a si mesmas, pois, essas pessoas, provavelmente, foram os p ruptos, empresários corruptores, dentre outros, n que se refestelaram com o dinheiro público destina -u-de, à educação e que, agora, estão de volta à Terra, reencarnados, sofrendo a carência que propiciaram aos outros, após terem "gozado dissolutamente". Por isso, podemos usufruir o prazer egoístico, contudo, cedo ou tarde, esse prazer se transformará em dor e sofrimento.

"E, caindo em si...".

Qual é o objetivo da carência, que nos gera dor e sofrimento? Muitos pensam que a dor e o sofrimento são punições que Deus envia para os gozadores. Porém, não é isso que Jesus nos ensina na parábola, pois vemos que, mais tarde, o pai recebe o filho gozador de braços abertos com muita compaixão.

Portanto, Deus não nos pune quando usamos o livre-arbítrio para gozar. Porém, Ele criou leis, das quais não podemos fugir. A Lei Maior é a de amor. Quando nos afastamos do amor, egoisticamente, indo para "terras longínquas", a fim de gozar, o desamor que produzimos nos convida a nos reeducar pela dor. Aquilo que parece uma punição é na verdade um convite à reeducação pela dor.

A dor auxilia a cada um a "cair em si". O seu objetivo é que cada um tome consciência de que não é vivendo dissolutamente, nem tampouco sofrendo as consequências dessa vida devassa, que evoluímos. A evolução acontece pelo amor e para o amor. Somente transmutando o egoísmo, o orgulho e o egocentrismo é que vamos viver uma vida repleta de sentido.

O filho gozador "cai em si" e percebe que a carência, pela qual sofria, era resultado do distanciamento da "Casa do Pai". Lembra-se que lá havia abundância e que ele estava "padecendo necessidades" pela escolha equivocada que fizera, ao partir para "gozar" em "terras longínquas".

Para ele fica claro que toda aquela fome era fruto de suas escolhas e não de uma conjuntura externa. Isso é válido para todos nós. Muitas vezes, equivocadamente, pensamos que a falta de saúde, de bens materiais, de uma família, etc. que sofremos hoje é porque Deus é injusto, uma vez que dotou os outros de tudo e nos colocou para viver em carência.

É fundamental para cada um, "cair em si". Isso significa tomar consciência de nossos próprios atos, refletindo sobre toda carência de hoje como resultado do abuso de ontem, porque se Deus é uma Grande Energia de Amor, que criou o Universo por amor e para o amor, não realiza ações injustas, nem tampouco permite injustiças. Portanto, aquilo que consideramos injusto é resultado de avaliação equivocada. A razão e o bom-senso fazem-nos sentir a veracidade desta afirmação, pois essa Energia Amorosa, que denominamos Deus, criou o Universo incomensurável, que é resultado do Seu imenso amor e sabedoria. Tudo que existe na natureza demonstra a imensa sabedoria divina, tudo muito bem planejado para que haja vida em abundância, conforme Jesus canta quando diz: "Olhai para os lírios do campo, as aves do céu...".

Será que essa Energia Amorosa vai colocar para sofrer alguns dos seus filhos e outros para viver, luxuosamente, como se fossem privilegiados? É claro que não. Os que sofrem, o fazem por algum motivo. Não é porque Deus se descuidou deles. É por causa de suas escolhas equivocadas.

Se as pessoas que sofrem passarem por essa fase com a mesma postura do filho mais novo, como Jesus nos convida a refletir, ou seja, caindo em si mesmos, aceitando que o sofrimento é resultado de suas atitudes, ao invés de blasfemarem, revoltados contra o Criador da Vida, estarão se preparando para voltar para Casa, para o amor do qual não deveriam ter se afastado.

É importante perceber que a nossa destinação maior não é o sofrimento, mas o amor, pois muitas pessoas, que têm uma visão reencarnacionista deturpada, dizem que sofrem porque estão "queimando" o carma, porque fizeram muitas coisas más no passado e agora só resta pagar pelos erros, sofrendo.

Essa é uma visão completamente equivocada do que vem a ser carma. Carma significa causa e efeito. Se nós estamos sofrendo, é claro que existe uma causa. A causa é anterior, seja dessa ou de outras existências, mas não estamos aqui para nos acomodar a um sofrimento inoperante. Reencarnamos para desenvolver a autoconsciência, o "cair em si" da parábola. Esse despertar da consciência nos leva a compreender que o objetivo da vida é desenvolver o amor, o bem, o bom e o belo, e não o sofrimento e nem, tampouco, o prazer a qualquer custo.

"Quantos trabalhadores de meu pai têm abundância de pão, e eu aqui pereço de fome!".

O filho gozador lembra que na "Casa do Pai" havia "abundância de pão". Que pão é esse? O pão espiritual, o amor. "A Casa do Pai" representa a nossa própria Essência Divina, o amor que somos, quando em comunhão com Deus. Estar em "Casa", significa estar identificado com a Essência Divina para comungar com Deus. Quando isso acontece temos abundância de "pão", símbolo na parábola do amor.

O filho mais novo lembra que na "Casa do Pai" havia abundância de amor e ele estava passando fome, estava em uma profunda carência porque havia se afastado para as "terras longínquas". Agora estava muito carente necessitando de "pão", de amor. Mas esse amor ninguém podia lhe dar, a não ser ele mesmo. Esse alimento é o autoamor, possível apenas quando retornamos à "Casa do Pai".

"Levantar-me-ei, e irei ter com meu pai".

Ele está espiritualmente caído e pensa em se levantar, simbolizando que quando escolhemos gozar a qualquer custo, egoisticamente, dilapidando o patrimônio que Deus nos legou, mais cedo ou mais tarde vamos tombar em nossa própria incúria.

Ao se perceber caído ele pensa em permanecer assim? Não. Imediatamente, pensa em se levantar. Quando ele "cai em si", percebe a realidade e reflete acerca da possibilidade de reabilitação. Ele ainda não a começou, mas está refletindo sobre como pode agir para se reabilitar.

"Dir-lhe-ei: Pai, pequei contra o céu e perante ti".

Ele toma consciência do pecado que havia cometido. Como Jesus concebia o pecado?

A palavra pecado origina-se de uma palavra hebraica, "hamartia", que significa errar o alvo. É assim que Jesus concebe o pecado na parábola e em todo o Seu Evangelho. É simplesmente errar o alvo. Ele errou o alvo, entrou por um atalho e não seguiu pela estrada correta. Do que ele necessita? De voltar para a estrada certa.

Qual o significado de "pequei contra o céu e perante ti?". A palavra céu, neste contexto, significa a própria consciência da criatura, que traz a Lei de Deus dentro de si, conforme nos atesta a questão 621 de *O Livro dos Espíritos*: "Onde está escrita a lei de Deus? Na consciência".

Quando erramos, maculamos a nossa própria consciência nos afastando do nosso Eu Divino. Não é Deus que maculamos, mas nós mesmos. Deus não se perturba com as nossas faltas, porém, a nossa consciência, sim.

"Já não sou digno de ser chamado teu filho; faze-me como um dos teus trabalhadores".

O filho arrependido, antes gozador, sente-se indigno por ter pecado, entrado pela "porta larga" que o conduzira à "perdição". Qual é o caminho que Jesus recomenda para que ele volte a se tornar digno? O da Humildade, para solicitar a dignidade de ser um trabalhador. Que tipo de trabalhador é esse? O **aprendiz da vida,** aquele que vai trabalhar pelo esforço no bem, a fim de se tornar melhor. Ao se tornar um trabalhador do bem, bem esse que começa dentro de si, para, a partir desse bem estabelecido dentro de si, ir ao encontro do próximo. Isso é o que significa o autoamor – trabalhar para a própria reabilitação pelo esforço no bem. Somente assim ele estará suprindo a carência na qual entrou.

"E, levantando-se, foi para seu pai".

Antes o filho mais novo estava apenas pensando, idealizando o que fazer para se reabilitar. Agora ele parte para a ação realizadora, a fim de tornar real o ideal que havia determinado.

Muitas pessoas idealizam transformações em si mesmas, mudanças necessárias para que se tornem melhores, aprimorando a qualidade de vida, movidas por um apelo da própria consciência. Desejam melhorar as suas vidas, contudo, para a maioria infelizmente, não passa de uma idealização. Fazem listas de resoluções que não são realizadas. São ainda poucos aqueles que partem da idealização para a realização.

No versículo anterior o filho arrependido idealiza levantar-se. Ele faz um planejamento do que quer para sua vida. Ele não quer mais ficar caído. Deseja se levantar e seguir o seu caminho.

Os processos de autoconhecimento e de autotransformação sempre surgem a partir de uma idealização em que o indivíduo busca o que quer para sua vida, do ponto de vista espiritual e emocional. Agora, da idealização para a realização há uma distância muito grande. A **real**iz***ação*** é a ação para tornar real o ideal. Todos desejam melhorar as suas vidas, por isso idealizam, mas são ainda poucos os que fazem os esforços para realizar aquilo que desejam.

É necessário se levantar e buscar daquilo que se quer. Para isso, é importante ser verdadeiro consigo mesmo, perguntando-se: – Eu quero realizar as mudanças em minha vida, verdadeiramente, ou quero ganhar uma vida com maior qualidade, somente por que a desejo? Como milagres não existem, se você ficar esperando que um milagre divino mude a sua vida, vai esperar em vão.

"[...] e, quando ainda estava longe, viu-o seu pai, e se moveu de íntima compaixão, e, correndo, lançou-se-lhe ao pescoço, e o beijou".

Como Deus nos trata sempre, mesmo quando usamos mal o nosso livre-arbítrio? Com amor e compaixão e não é só quando estamos voltando para Casa. Deus nos trata assim em todos os momentos, mesmo quando estamos em "terras longínquas".

Neste versículo Jesus dá a entender que mesmo longe o Pai zela por nós. Deus sempre nos tratará com "íntima compaixão". Portanto, a ideia de que Deus castiga, pune aquele que erra, é equivocada.

Aqueles que dizem que Deus vai mandar aquele que erra para um inferno eterno distanciam-se dos ensinamentos de Jesus. Essa é uma ideia para aterrorizar e manipular as pessoas. Deus sempre nos trata com "íntima compaixão". Isso fica muito claro nessa parábola e em outras passagens do Evangelho. Jesus nos ensinou que Deus é Amor.

Os ensinamentos a respeito de Deus, ensinados por Jesus são bem diferentes daqueles apresentados por Moisés, do "olho por olho, dente por dente". Essa visão de um Deus temível e vingativo era apropriada para o povo ignorante, o qual havia sido recém-libertado por Moisés da escravidão no Egito.

Quando Jesus vem no seio do mesmo povo, um pouco mais adiantado, falar para esse povo e principalmente, para todos nós no futuro, é sobre um Deus totalmente amoroso, um Deus compassivo que nos cabe amar e não temer, como ensinou Moisés, e como muitos cristãos distanciados dos ensinamentos do Cristo ainda ensinam, equivocadamente, até hoje.

O Pai busca aconchegar o filho com a sua compaixão. O filho estava de volta a Casa e Ele o recebe com abraços e beijos, simbolizando a acolhida compassiva. Não é isso que Deus quer para todos nós? Ele quer que sejamos felizes utilizando o nosso livre-arbítrio para o amor e o bem, aproximando-nos d'Ele, conforme nos ensina a questão 115 de *O Livro dos Espíritos*. Basta que nos arrependamos dos erros cometidos e, com sinceridade, retornemos a "Casa" buscando a reabilitação, que Deus nos acolherá sempre.

O grande problema é que ficamos em uma postura de indignidade, caídos, acreditando que não podemos nos levantar, punindo-nos por termos caído, sentindo-nos culpados, execráveis, muitas vezes, devido a concepções religiosas deturpadas sobre o significado do erro. Acreditamos, ainda, em pecados mortais que nos alijam para sempre da "Casa do Pai". Por isso, é fundamental meditar sobre os ensinamentos de Jesus nessa parte da parábola: Deus sempre acolherá todo o filho sincero em busca de reabilitação, por mais deploráveis que sejam as ações praticadas quando esse filho estava em "terras longínquas".

"E o filho lhe disse: Pai, pequei contra o céu e perante ti e já não sou digno de ser chamado teu filho".

Apesar de o pai tê-lo recebido com todo carinho, com muita compaixão e amor, o filho arrependido ainda continuava se sentindo indigno. Por que Jesus faz essa referência? Neste trecho da parábola Jesus está se referindo à consciência maculada.

Após ter-nos afastado para "terras longínquas", entrando pela "porta larga" que leva à "perdição", isto é, enveredado pelo caminho do mal a nós mesmos e ao nosso próximo, maculamos a nossa consciência e por isso nos sentimos indignos. Só vamos recuperar a dignidade quando nos reabilitarmos perante a nossa consciência, porque a dignidade não depende do "Pai" e sim de nós mesmos. Deus nunca nos vê como indignos.

Em *A Gênese* [9], na primeira página, Kardec diz que "Para Deus, o passado e o futuro são o presente". Podemos inferir dessa afirmação que Deus nos vê desde o instante que nos criou como Arcanjos, conforme nos diz a questão 540 de *O Livro dos Espíritos*:

> [...] É assim que tudo serve, que tudo se encadeia na Natureza, desde o átomo primitivo até o arcanjo, que também começou pelo átomo. Admirável lei de harmonia, que o vosso acanhado espírito ainda não pode apreender em seu conjunto.

Para Deus somos Anjos, Espíritos Puros. Quando Deus cria o princípio inteligente que animará um átomo, Ele já vê nesse princípio inteligente, que evoluirá no reino mineral, vegetal, animal e hominal, um Arcanjo. Para a criatura, essa pureza somente acontecerá em um futuro mui-

[9] Allan, KARDEC, *A gênese.*

to remoto. Para nós, criaturas, é o futuro, mas para Deus como não há futuro, já é presente. Portanto, Deus nos vê sempre com dignidade. Ele nos vê como **somos** e não como **estamos.** Entretanto, nós nos sentiremos indignos enquanto estivermos com a consciência marcada pelos equívocos que praticamos.

A superação desses equívocos acontece quando assumimos a condição de aprendizes da vida e vamos ao encontro do trabalho no bem. Por isso, Jesus refere-se às palavras do filho arrependido ao Pai: "Já não sou digno de ser chamado teu filho". Isso acontece mesmo quando o Pai o trata com toda dignidade.

Porém, ele já quer ser um dos trabalhadores do Pai. Esse trabalho diz respeito a ele mesmo. Não diz respeito ao Pai que, conforme Jesus narra, diz: **Trazei depressa a melhor roupa, e vesti-lho, e ponde-lhe um anel na mão e sandálias nos pés, e trazei o bezerro cevado, e matai-o; e comamos e alegremo-nos, porque este meu filho estava morto e reviveu; tinha se perdido e foi achado. E começaram a alegrar-se.**

Portanto, o sentimento de indignidade é um conflito necessário, pois nos convida a um trabalho de reabilitação perante a nossa própria consciência. Esse ensinamento de Jesus é muito profundo, pois elucida que o Pai nos acolhe sempre, entretanto, nós mesmos necessitamos nos acolher para transformar os equívocos que trazemos, maculando a nossa consciência.

Ele usou mal o livre-arbítrio, então, só vai se sentir digno quando passar a praticá-lo bem.

Ao praticar o desamor somente se sentirá bem quando começar a praticar o amor. Como Deus unicamente vê-nos como Espíritos Puros, o mal uso de nosso livre-arbítrio não O afeta, mas afeta a nossa consciência. Deus nunca nos condena, pois não se ofende com as nossas deficiências. O mesmo já não se dá conosco, pois ao adentrarmos pela "porta larga", abdicando da condição de aprendizes da vida, entraremos em um conflito necessário, que somente cessará após a reabilitação integral, "ceitil por ceitil", conforme nos orienta Jesus. Portanto, o fato de Deus nos tratar sempre com dignidade não significa anulação de nossas faltas.

Então, voltar para "Casa", buscando a reabilitação, significa exatamente o reviver da morte "este meu filho estava morto e reviveu". A pior morte, aliás, a única que existe de fato, não é a morte do corpo, pois essa é apenas uma transformação, mas a morte dos ideais de amor em nossos corações. É o que aconteceu com o filho gozador. Ele matou os ideais de amor dentro dele, a fim de gozar, para usufruir dos bens divinos, dissolutamente, com graves consequências para si mesmo.

Todas as vezes que "matarmos" os ideais de amor dentro de nós, vamos sofrer muito. Vamos entrar em carência e essa carência vai nos produzir a morte psicoespiritual. Porém, não é uma morte definitiva porque, na verdade, toda morte é um convite ao renascimento. Por isso, ele estava "morto" e "reviveu", porque toda morte é transformadora.

O filho mais novo mata, temporariamente, o bem dentro de si por orgulho e egoísmo e, devido a essa atitude, chega ao auge do desamor, sofre-lhe as consequências e depois retorna arrependido ao amor, ao caminho da dignidade.

Esse caminho de volta à dignidade não vai acontecer, simplesmente, pelo arrependimento. Conforme diz Kardec em *O Céu e o Inferno*:

> O arrependimento, conquanto seja o primeiro passo para a regeneração, não basta por si só; são precisas a expiação e a reparação. Arrependimento, expiação e reparação constituem, portanto, as três condições necessárias para apagar os traços de uma falta e suas conseqüências. O arrependimento suaviza os travos da expiação, abrindo pela esperança o caminho da reabilitação; só a reparação, contudo, pode anular o efeito destruindo-lhe a causa. Do contrário, o perdão seria uma graça, não uma anulação. [10]

Portanto, o arrependimento é o primeiro passo. Depois do arrependimento é necessária a expiação, o retorno à pureza da qual nos afastamos. A palavra **expiação** significa **ação para extrair a pureza**. O prefixo "ex" tem o sentido de retirar de dentro. "Pia" significa pureza. Portanto, ação para se extrair a pureza.

Quando nos afastamos do amor, precisamos extrair a pureza da qual nos afastamos. Quando nos afastamos da "Casa do Pai", de nossa Essência Divina de amor, a pureza do amor original, no qual fomos criados, precisaremos expiar e voltarmos a esse amor. Se ficássemos sempre na "Casa do Pai" não entraríamos em impurezas, mas como acontece com a maioria de nós, afastamo-nos para "terras longínquas"

[10] Allan, KARDEC, *O céu e o inferno*, item 16.

para gozar e nos encher de impurezas e, por isso, precisaremos expiar.

É o que acontece com o filho mais novo. Na primeira fase, como filho gozador, mergulha nas impurezas. Na segunda fase expia, extrai a pureza de onde ele havia se afastado, retornando à "Casa do Pai" para poder reparar as suas faltas. Retorna ao mecanismo primeiro que Deus utiliza para a nossa evolução que é a provação.

A reparação é realizada pelo trabalho do bem. Se não houver a reparação, o arrependimento não será real, será inútil em si mesmo. A reparação vai reabilitar a nossa consciência perante si mesma. Isso é o que chamamos de **dever consciencial,** o dever de praticar o amor como aprendizes da vida.

Façamos um parêntese para refletir um pouco mais sobre o uso do livre-arbítrio na prática do mal, simbolizado na parábola, pela ida para "terras longínquas". Muitos dizem que não é possível não praticar o mal. Utilizando a linguagem da parábola, poderíamos interpretar tal qual uma obrigatoriedade irmos para as "terras longínquas". Porém, quem nos obriga? Poderíamos ficar para sempre na "Casa do Pai"? Sim, com certeza. Estudemos a seguir estas questões em *O Livro dos Espíritos* que aborda toda a trajetória do filho mais moço:

> Dos Espíritos, uns terão sido criados bons e outros maus?
> Deus criou todos os Espíritos simples e ignorantes, isto é, sem saber. A cada um deu determinada missão,

com o fim de esclarecê-los e de os fazer chegar progressivamente à perfeição, pelo conhecimento da verdade, para aproximá-los de si. Nesta perfeição é que eles encontram a pura e eterna felicidade. Passando pelas provas que Deus lhes impõe é que os Espíritos adquirem aquele conhecimento. Uns, aceitam submissos essas provas e chegam mais depressa à meta que lhes foi assinada. Outros, só a suportam murmurando e, pela falta em que desse modo incorrem, permanecem afastados da perfeição e da prometida felicidade.

Segundo o que acabais de dizer, os Espíritos, em sua origem, seriam como as crianças, ignorantes e inexperientes, só adquirindo pouco a pouco os conhecimentos de que carecem com o percorrerem as diferentes fases da vida?

Sim, a comparação é boa. A criança rebelde se conserva ignorante e imperfeita. Seu aproveitamento depende da sua maior ou menor docilidade. Mas, a vida do homem tem termo, ao passo que a dos Espíritos se prolonga ao infinito.

Haverá Espíritos que se conservem eternamente nas ordens inferiores?

Não; todos se tornarão perfeitos. Mudam de ordem, mas demoradamente, porquanto, como já doutra vez dissemos, um pai justo e misericordioso não pode banir seus filhos para sempre. Pretenderias que Deus, tão grande, tão bom, tão justo, fosse pior do que vós mesmos?

Depende dos Espíritos o progredirem mais ou menos rapidamente para a perfeição?

Certamente. Eles a alcançam mais ou menos rápido, conforme o desejo que têm de alcançá-la e a submissão que testemunham à vontade de Deus. Uma criança dócil não se instrui mais depressa do que outra recalcitrante?

Podem os Espíritos degenerar?

Não; à medida que avançam, compreendem o que os distanciava da perfeição. Concluindo uma prova, o Espírito fica com a ciência que daí lhe veio e não a esquece. Pode permanecer estacionário, mas não retrograda.

Não podia Deus isentar os Espíritos das provas que lhes cumpre sofrer para chegarem à primeira ordem?

Se Deus os houvesse criado perfeitos, nenhum mérito teriam para gozar dos benefícios dessa perfeição. Onde estaria o merecimento sem a luta? Demais, a desigualdade entre eles existente é necessária às suas personalidades. Acresce ainda que as missões que desempenham nos diferentes graus da escala estão nos desígnios da Providência, para a harmonia do Universo. Pois que, na vida social, todos os homens podem chegar às mais altas funções, seria o caso de perguntar-se por que o soberano de um país não faz de cada um de seus soldados um general; por que todos os empregados subalternos não são funcionários superiores; por que todos os colegiais não são mestres. Ora, entre a vida social e a espiritual há esta diferença: enquanto que a primeira é limitada e nem sempre permite que o homem suba todos os seus degraus, a segunda é indefinida e a todos oferece a possibilidade de se elevarem ao grau supremo.

Todos os Espíritos passam pela fieira do mal para chegar ao bem?

Pela fieira do mal, não; pela fieira da ignorância.

Por que é que alguns Espíritos seguiram o caminho do bem e outros o do mal?

Não têm eles o livre-arbítrio? Deus não os criou maus; criou-os simples e ignorantes, isto é, tendo tanta aptidão para o bem quanto para o mal. Os que são maus, assim se tornaram por vontade própria.

Como podem os Espíritos, em sua origem, quando ainda não têm consciência de si mesmos, gozar da liberdade de escolha entre o bem e o mal? Há neles algum princípio, qualquer tendência que os encaminhe para uma senda de preferência a outra?

O livre-arbítrio se desenvolve à medida que o Espírito adquire a consciência de si mesmo. Já não haveria liberdade, desde que a escolha fosse determinada por uma causa independente da vontade do Espírito. A causa não está nele, está fora dele, nas influências a que cede em virtude da sua livre vontade. É o que se contém na grande figura emblemática da queda do homem e do pecado original: uns cederam à tentação, outros resistiram.

Donde vêm as influências que sobre ele se exercem?

Dos Espíritos imperfeitos, que procuram apoderar-se dele, dominá-lo, e que rejubilam com o fazê-lo sucumbir. Foi isso o que se intentou simbolizar na figura de Satanás.

Tal influência só se exerce sobre o Espírito em sua origem?

Acompanha-o na sua vida de Espírito, até que haja conseguido tanto império sobre si mesmo, que os maus desistem de obsidiá-lo.

Por que há Deus permitido que os Espíritos possam tomar o caminho do mal?

Como ousais pedir a Deus contas de seus atos? Supondes poder penetrar-lhe os desígnios? Podeis, todavia, dizer o seguinte: A sabedoria de Deus está na liberdade de escolher que ele deixa a cada um, porquanto, assim, cada um tem o mérito de suas obras.

Pois que há Espíritos que desde o princípio seguem o caminho do bem absoluto e outros o do mal absoluto, deve haver, sem dúvida, gradações entre esses dois extremos. Não?

Sim, certamente, e os que se acham nos graus intermédios constituem a maioria.

Os Espíritos que enveredaram pela senda do mal poderão chegar ao mesmo grau de superioridade que os outros?

Sim; mas as eternidades lhes serão mais longas.

Por estas palavras – as eternidades – se deve entender a idéia que os Espíritos inferiores fazem da perpetuidade de seus sofrimentos, cujo termo não lhes é dado ver, idéia que revive todas as vezes que sucumbem numa prova.

Chegados ao grau supremo da perfeição, os Espíritos que andaram pelo caminho do mal têm, aos olhos de Deus, menos mérito do que os outros?

Deus olha de igual maneira para os que se transviaram e para os outros e a todos ama com o mesmo coração.

> Aqueles são chamados maus, porque sucumbiram. Antes, não eram mais que simples Espíritos.
>
> Os Espíritos são criados iguais quanto às faculdades intelectuais?
>
> São criados iguais, porém, não sabendo donde vêm, preciso é que o livre-arbítrio siga seu curso. Eles progridem mais ou menos rapidamente em inteligência como em moralidade.
>
> Os Espíritos que desde o princípio seguem o caminho do bem nem por isso são Espíritos perfeitos. Não têm, é certo, maus pendores, mas precisam adquirir a experiência e os conhecimentos indispensáveis para alcançar a perfeição. Podemos compará-los a crianças que, seja qual for a bondade de seus instintos naturais, necessitam de se desenvolver e esclarecer e que não passam, sem transição, da infância à madureza.
>
> Simplesmente, assim como há homens que são bons e outros que são maus desde a infância, também há Espíritos que são bons ou maus desde a origem, com a diferença capital de que a criança tem instintos já inteiramente formados, enquanto que o Espírito, ao formar-se, não é nem bom, nem mau; tem todas as tendências e toma uma ou outra direção, por efeito do seu livre-arbítrio.[11]

Agora, estudemos a postura do filho mais velho que é praticamente ignorada pela maioria das pessoas. Parece que ele é o bom filho cumpridor das "obrigações", que estava

---

[11] Allan, KARDEC, *O livro dos espíritos,* questões 115 a 127.

com o Pai por amor. Veremos que é totalmente o contrário.

"E o seu filho mais velho estava no campo; e, quando veio e chegou perto de casa, ouviu a música e as danças".

Neste versículo Jesus coloca, sutilmente, qual era a postura do filho mais velho. Em momento algum na parábola ele entra na "Casa". Ele está no campo, depois chega "perto de Casa". Está sempre nas imediações. Como estar na "Casa do Pai" é o símbolo da comunhão com nossa Essência Divina e da comunhão com Deus, Jesus mostra que ele parece estar em comunhão, mas de fato não está. Ele fica "perto", ali nos arredores, "no campo", "em volta da Casa". É a diferença entre o **parecer** e o **ser**. Ele parece dedicado, mas não é.

"E, chamando um dos servos, perguntou-lhe que era aquilo. E ele lhe disse: Veio teu irmão; e teu pai matou o bezerro cevado, porque o recebeu são e salvo".

O servo lhe dá a importante notícia do retorno do irmão que havia partido e voltado são e salvo. Se ele, realmente, fosse um filho dedicado, como parecia ser, iria se sentir alegre, feliz com a volta do irmão, porém, o que de fato ocorre está longe disso.

"Mas ele se indignou e não queria entrar. E, saindo o pai, instava com ele".

Percebamos que a indignidade do filho mais velho é bem diferente daquela do filho mais novo arrependido. Ela é fruto do orgulho e da revolta. É o indigno que nem se percebe indigno. Essa é a verdadeira indignidade, pois quem a tem não percebe, devido ao mascaramento. O problema está no outro.

Ele estava "perto de Casa" e não quis entrar, mesmo quando o "Pai" o convida insistentemente. Em momento algum ele entra em comunhão com o "Pai".

Enquanto o filho mais novo, ao se sentir indigno busca a sua dignificação, isso não acontece com o irmão mais velho, pois este se acha o máximo em termos de dignidade. Quando o irmão mais novo voltou, ele, o filho mais velho, acredita-se muito digno e o irmão indigno de ser recebido em "Casa", por isso não queria entrar em comunhão com o "Pai" e com o irmão que pensava ser inferior a ele próprio.

"Mas, respondendo ele, disse ao pai: Eis que te sirvo há tantos anos, sem nunca transgredir o teu mandamento, e nunca me deste um cabrito para alegrar-me com os meus amigos".

Aqui ele demonstra o seu afastamento do "Pai", porque mente de uma forma insolente. Vimos que Jesus diz no início da parábola que o "Pai" reparte a fazenda para os dois: "E ele repartiu por eles a fazenda". E ele diz ao "Pai", cinicamente, que nem um cabrito havia recebido.

Na verdade, neste versículo Jesus está referenciando todos aqueles que recebem bens diários de Deus e mesmo assim blasfemam, dizendo que Deus não dá coisa alguma, enquanto que a outros dá tudo.

Reflitamos sobre esta questão, a fim de avaliarmos com justiça a magnanimidade divina. O ar que respiramos, por exemplo, somente nos lembramos dele quando temos uma congestão nasal, uma bronquite ou uma crise de asma e não conseguimos respirar direito.

O ar é uma dádiva divina que todos recebemos de graça. Da água que bebemos, diariamente, nós somente lembramos quando nos falta. Do Sol que alimenta a todos nós, as plantas e os animais diariamente, nem tomamos conhecimento.

E as bênçãos de um corpo perfeito, inteligentemente projetado, que só lembramos que temos na hora que estamos com uma dor, algum problema. Nesses momentos em que sentimos uma dor em um órgão, como no braço, no estômago, etc. é que nós lembramos que eles existem.

Quando estamos usufruindo de maneira inconsciente nem nos lembramos de que todos esses recursos são empréstimos de Deus, visando à nossa evolução. Quantas dádivas a Vida nos dá, fruto do amor de Deus. E aí quando algo nos falta, devido ao nosso próprio abuso em algum momento anterior, reclamamos, blasfemamos, dizendo que nem um "cabrito" nós ganhamos.

Jesus deixa claro, neste versículo, a cobiça do "filho mais velho" e a chantagem que faz com o "Pai". Afinal, ele é o "servo" que estava ali sem nunca ter "transgredido nenhum mandamento", demonstrando que estava servindo não na condição de um filho que tem interesses em comum com o pai, mas tal qual um servo que está lá por obrigação, aguardando remuneração. Ele é o filho "bonzinho" que estava servindo não ao "Pai", mas a si mesmo, pois seu objetivo era ganhar as benesses do "Pai".

O filho mais velho usa de duas máscaras do ego muito comuns que são a martirização e a vitimização. Quando ele diz que estava lá cumprindo todos os mandamentos do "Pai", age como mártir e depois, quando reclama que nem um "cabrito" havia recebido, coloca-se na condição de vítima.

Quando ele se diz vítima, quem é o algoz? O "Pai". Quantas pessoas não agem como o filho mais velho e dizem assim: – "Que mal eu fiz a Deus para merecer uma vida tão infeliz?". Aqueles que pensam assim precisam refletir que para Deus não podemos fazer mal algum, pois Ele não se afeta com os nossos males; nós fazemos mal a nós mesmos e depois sofremos as consequências, tornando a nossa vida infeliz. Portanto, colocarmo-nos como vítimas ou mártires que "servem", aparentemente, sem buscar recompensa, não resolve problema algum.

Em outra passagem do Evangelho Jesus se refere a esse tipo de pessoas quando diz em João: 8,35. "Ora, o servo não fica para sempre na casa; o filho fica para sempre".

O servo quer o salário. Na hora em que não tem aquilo que deseja, ele dá as costas e busca outro senhor para servir e ganhar a remuneração especial. Porém, o filho busca a comunhão com o "Pai", pois o interesse do "Pai" é seu próprio interesse.

Quando o filho deixa de ser filho para ser servo abre mão, momentaneamente, da Paternidade Divina, pois sai da comunhão com Deus, porque essa comunhão não é obrigatória. Deus nunca sai da comunhão conosco, mas podemos sair, momentaneamente, da comunhão com Ele.

Percebamos, então, na fala do filho mais velho: "sem nunca transgredir o teu mandamento" significando que o mandamento era uma obrigação que ele se impunha. Não era uma ordem do "Pai", porque se fosse uma obrigatoriedade imposta pelo "Pai", ele também a imporia ao filho mais novo. Quando o filho mais novo disse que queria partir para "terras longínquas" ele o obrigaria a ficar para servi-lo. Jesus não faz referência sobre isso na parábola, pois a comunhão com o "Pai" deve ser espontânea e não resultado de uma coerção.

Essa obrigatoriedade de servir a Deus não é divina. É algo que criamos para tentar barganhar com Deus. É fruto da deturpação das lições que Jesus oferece em Seu Evangelho. As religiões ditas cristãs nos impõem que sejamos "bonzinhos" para obtermos um lugar no céu.

Quantas pessoas, com base nessa crença, dão dez por cento de tudo ou mais do que ganham para os líderes de sua religião, sem acompanhar o que esses líderes fazem com o dinheiro, simplesmente porque acreditam que estão comprando as benesses divinas, ou ficam bonzinhos um pouco antes de morrer e deixam parte dos bens para os pobres, ou ainda pagam para que rezem por elas e tenham uma boa morte, etc., porque acreditam que ludibriam Deus, achando que vão comprar um lugar no céu e Deus vai se sensibilizar com isso. São servos cujos interesses são diferentes aos do "Pai", pois Deus quer que evoluamos, com base em nossos próprios esforços, por isso é necessário estar na "Casa" por amor e não por obrigação.

"Vindo, porém, este teu filho, que desperdiçou a tua fazenda com as meretrizes, mataste-lhe o bezerro cevado".

Aqui, o filho mais velho usa a máscara do puritanismo quando desconhece o irmão e diz "este teu filho, que desperdiçou a tua fazenda com as meretrizes". O puritanismo é a máscara na qual a pessoa se acha pura, perfeita e os que são impuros, imperfeitos precisam ser banidos do Reino de Deus.

Ele acredita ser puro, bom servidor e "o outro filho do seu Pai", um perdulário impuro.

O que o puritano nega? O desejo de perdição que ele mantém dentro si e que projeta no outro. O puritanismo é um mecanismo de projeção. Toda pessoa puritana, que vive atacando o outro, na verdade, tem um desejo de agir igual, só que nega e reprime o desejo de forma intensa e, por isso, ataca o outro, pois esse é um espelho de seus desejos, no qual vê a sua imagem refletida. Ao atacá-lo é como se quebrasse o espelho para não ver a sua imagem refletida.

Então, no caso, o irmão mais novo fez tudo que ele, intimamente, estava querendo fazer o tempo todo, mas reprimiu violentamente. Por isso, fica indignado com a volta do irmão e o ataca.

Em todo processo de mascaramento está implícito o orgulho, muito bem reprimido. Quando negamos que ainda temos orgulho dentro de nós criamos a pseudo-humildade.

O filho mais velho não parece muito humilde quando diz que nem um cabrito havia ganhado do "Pai". Ele estava ali servindo o tempo todo e nada recebido para isso. Existe no comportamento do filho mais velho toda uma aparência de humildade porque há uma negação do desamor que está presente dentro dele. A negação do desamor gera a pseudobondade e a pseudo-humildade. E quando negamos o desamor desenvolvemos o pseudoamor.

O amor é desenvolvido, não dessa forma, mas aceitando e transformando o desamor. Foi aquilo que aconteceu com o filho mais novo, na segunda fase. Ele aceitou que estava indigno e buscou a reabilitação pelo trabalho no bem. Começou a trabalhar para a transformação da indignidade que ele havia criado. O seu irmão mais velho, ao contrário, projeta a sua indignidade nos outros. Por isso, é que o puritano está sempre focado no outro. O outro é impuro, ele é puro. O puro de coração não condena o impuro, conforme Jesus nos ensinou, mas o puritano sim. O puritano está sempre atacando o outro e justificando a sua postura.

Outra questão que se apresenta, nesse versículo, é sobre o desperdício da fazenda. O filho mais velho diz: "este teu filho que desperdiçou a tua fazenda". Se a fazenda é do "Pai", o que ele tem a ver com um possível desperdício? Na verdade esse aparente zelo oculta a cobiça e a inveja que ele, o filho mais velho sente, pois o "Pai" estava, novamente, oferecendo os bens ao seu irmão e ele os queria somente para si.

"E ele lhe disse: Filho, tu sempre estás comigo, e todas as minhas coisas são tuas".

Aqui Jesus coloca uma questão muito profunda. Existe algum filho que não está com Deus do ponto de vista divino? Não, todos os filhos estão com Deus, sejam os bons, sejam os maus, sejam os ingratos, sejam os perdulários, sejam os aparentemente dedicados, todos estão com Deus. Mas, isso significa que todos estão em comunhão? Não! Deus nunca se afasta de nós, mas podemos nos afastar dele.

A condição para estar em comunhão com Deus é estar em "Casa".

Já analisamos que o filho mais velho em momento algum entrou na "Casa". Isso significa que ele não estava em comunhão com o "Pai", ele parecia estar, mas, na verdade, não estava.

"E todas as minhas coisas são tuas". Essa realidade é a realidade do Universo. Deus é uma Grande Luz, Energia de Amor que criou todo o Universo para as Suas criaturas. É o Pai que está nos Céus como disse Jesus. Deus criou o Universo para nós. Tudo que existe no Universo é nosso. Como nos ensina a Mentora Espiritual Joanna de Ângelis: somos herdeiros do Universo.

Jesus ensina aqui que o "filho mais velho", assim também o "mais novo", ambos símbolos da Humanidade inteira, são herdeiros do "Pai". Mesmo sabendo disso, muitas vezes nos preocupamos com ninharias, representadas pelo "cabrito" da parábola. O filho mais velho estava cobiçando um "cabrito" apesar de todas as coisas do "Pai" também pertencerem a ele, mas não exclusivamente, **para ele,** como queria. Por que ele agia assim? Por inveja, cobiça e despeito pelo irmão. Ele achava que deveria ter mais em detrimento do irmão. Ele queria que o seu irmão fosse banido da "Casa do Pai".

"Mas era justo alegrarmo-nos e regozijarmo-nos, porque este teu irmão estava morto e reviveu; tinha se perdido e achou-se".

O "Pai" convida o filho mais velho a refletir acerca da Sua Justiça, que é de amor, compaixão e misericórdia, mas ele continua irredutível, acreditando-se injustiçado. Ele deveria alegrar-se, regozijar-se, porém o despeito, a inveja e a cobiça que ocultava dentro de si não deixavam isso acontecer.

Vejamos que, enquanto o filho mais novo não se sente digno de ser chamado filho, por ter praticado indignidades, volta para "Casa" para trabalhar em função da recuperação de sua dignidade, o seu irmão, ao se sentir um servo buscando recompensa, recusa-se à comunhão com o "Pai", por se sentir injustiçado e não conseguir ver que a justiça do "Pai" é feita de magnanimidade e não de mesquinhez.

Por isso é que a psicologia transpessoal afirma que o caminho de recuperação das pessoas que têm um perfil predominantemente do filho mais velho é muito mais longo, já que precisarão se despojar das máscaras da servidão. Após essa atitude, irão perceber a indignidade que trazem dentro de si, solicitando o trabalho de recuperação da dignidade para, somente aí, sentirem-se filhos novamente.

Resumindo a parábola, percebemos que ela representa a trajetória de todos nós. Os símbolos da parábola representam a Humanidade. Temos em nós a porção que representa o filho mais novo na primeira fase, o filho gozador que desperdiça os bens paternos e depois entra em carência. Temos a porção do filho mais novo na segunda fase, o filho arrependido em busca de reparação. E temos a porção filho mais velho, o servo que aparenta ser um filho dedicado.

A Humanidade como um todo, tanto quanto nós, individualmente, temos os três movimentos. Em alguns predomina o filho gozador, em outros o filho arrependido e em outros o filho aparentemente dedicado, mas todos, de certa forma, temos alguma coisa dos três perfis.

Portanto, Jesus está se referindo a diferentes partes de nossa personalidade na vida atual e também a fases de nossas vidas anteriores. Podemos passar existências inteiras como o filho gozador inconsequente, depois outras existências sofrendo as consequências desse gozo, para depois passar por outras existências, arrependidos, buscando a recuperação, bem como passar várias existências como servos, em uma aparente dedicação de filho.

Concluímos, com base na análise profunda da parábola, que temos três arquétipos. Arquétipo significa modelo psicológico. São três os modelos psicológicos que existem nessa parábola.

Arquétipo do filho gozador – representa todos os seres humanos que utilizam o livre-arbítrio na prática do desamor indo para "terras longínquas", produzindo o mal para si e para os outros quando buscam os prazeres egoicos, desperdiçando os recursos que recebem de Deus para evoluir, tendo como consequência a carência e o sofrimento.

Quando enveredamos pelo desamor terminamos sempre em carência e sofrimento, porque ao entrarmos pela "porta larga" terminaremos em um caminho que leva sempre ao abismo do sofrimento. Seguir esse caminho gera um **conflito necessário**, pois praticar o desamor nos macula a consciência, pois sendo o divino em nós ela é alimentada somente pelo amor.

Arquétipo do filho arrependido, buscando reabilitação – é a segunda fase do filho mais novo quando ele se arrepende, "cai em si" e volta para a "Casa do Pai". Representa os Seres que, após sofrerem as consequências da prática do desamor, tomam consciência do mal que praticaram, arrependem-se e resolvem retornar à "Casa do Pai", ao amor do qual se distanciaram, para a comunhão com Deus.

É a fase de reabilitação do conflito necessário, sendo superado pelo trabalho no bem. Essa atitude representa a busca da saúde existencial. Mesmo depois de estarmos muito doentes podemos tomar consciência da doença e retornarmos ao caminho do bem.

Arquétipo do filho aparentemente dedicado – representa os Seres que desenvolvem o pseudoamor, para aparentar uma dedicação que de fato não possuem, tentando, com isso, enganar os outros e até Deus. Porém, em realidade, isso gera apenas o autoengano, afastando-os da comunhão que o verdadeiro amor proporciona, criando um **conflito desnecessário**.

A diferença entre conflito necessário e desnecessário

A parábola dos dois filhos mostra-nos a diferença entre ter conflitos e viver de forma conflitante. No nível evolutivo em que nós estagiamos, ainda muito distantes da perfeição, não é possível não ter conflitos necessários, como ocorre com o filho mais novo, que ao perceber o erro praticado sente-se indigno. Esse conflito proporcionado pelo sentimento de indignidade nos impulsiona à renovação. Porém, já podemos nos libertar completamente dos conflitos desnecessários, como os que ocorrem com o irmão mais velho, que leva uma vida bastante conflitante devido ao não reconhecimento das próprias imperfeições e por se acreditar já perfeito, projeta as suas imperfeições no outro.

O conflito necessário é resultado da ação da consciência e surge todas as vezes que nos afastamos da lei do amor, praticando o desamor ou o pseudoamor, seja por nós mesmos, seja para o nosso próximo. Quando isso ocorre entramos em um conflito, no qual a consciência nos alerta para a reparação necessária, porque praticar o desamor ou tentar ocultá-lo pelo pseudoamor não é a nossa finalidade maior, e sim o amor. Se não houvesse esse conflito permaneceríamos praticando os mesmos erros, e Deus não nos criou para o erro, mas para o amor, o bem, o bom e o belo.

Todas as vezes que tivermos esse movimento, a nossa consciência, o lugar onde está inscrita a Lei Divina nos alertará, gerando um conflito necessário, pois necessitaremos retornar ao amor, custe o tempo que custar, porque essa é uma determinação do Criador para todos nós. Fomos criados para o amor, porque o Universo todo é organizado pelo amor e para o amor.

É importante refletir que esse mecanismo é um alerta e não uma coerção, porque a prática do amor jamais será resultado de uma obrigação. Esse alerta é, simplesmente, algo que fica gerando um incômodo em nós, como se fosse uma pequena lâmpada piscando e emitindo um som. O conflito necessário é como se a nossa consciência dissesse suavemente: "Você praticou um ato contrário à Lei Cósmica Universal, a Lei de Amor, aprenda com esse ato e repare-o".

Como vimos anteriormente, é esse o convite da vida, um processo tranquilo, suave e leve como é a proposta de Jesus quando Ele nos convida a sermos aprendizes d'Ele. Quando aceitamos o convite o jugo é suave, o fardo é leve.

Ao aceitarmos o convite nos tornamos aprendizes da vida. Todas as vezes que o aprendiz erra ao praticar o desamor, o que ele deve fazer com o erro? O convite da vida para o aprendiz é o de se responsabilizar pelo erro, aprender com ele, para depois repará-lo. Sempre que agirmos assim, superaremos os conflitos necessários. Se tivermos esse movimento, todas as vezes que errarmos, o jugo será suave, o fardo será leve.

Na verdade existe sempre um jugo, uma determinação, que é o direcionamento Divino que nos remete ao amor. Nessa trilha, a ser percorrida em direção ao amor o fardo é leve, porque quando estamos caminhando por essa trilha o movimento de prosseguir é leve, pois nos felicitamos com o amor que estamos buscando. Nunca será algo pesado, como uma obrigação de evoluir.

A evolução jamais será fruto de uma coerção, e sim um convite do Criador, algo muito suave, leve, que nos felicita a alma. É o movimento de retorno ao Essencial, à "Casa do Pai", que estudamos na parábola dos dois filhos, quando o filho pródigo reconhece o erro praticado e resolve retornar à "Casa Paterna", ao amor original, através da identificação com os sentimentos essenciais mais profundos, como o amor, a mansidão e a humildade.

Portanto, qualquer conflito nesse sentido é sempre bem-vindo, pois faz com que percebamos que estamos em um movimento negativo, distante da "Casa do Pai". O que necessitamos é apenas reconhecer isso e retornar a "Casa". É simples, apesar de representar um processo doloroso, porém, sempre suave e leve, processo esse que nos proporciona com esse retorno ao amor, a alegria e a felicidade.

Por que estar em conflito necessário é doloroso? Porque praticar o desamor sempre nos trará dor. Contudo, quando trilhamos o caminho de volta, proporcionado por esse tipo de conflito, a dor é como a do parto, que gera a vida. Como nos diz a parábola, o conflito necessário é, portanto, como um parto que faz reviver o que estava morto, encontrar o que estava perdido e gerar a dor que promove a autotransformação.

A prática do desamor afasta-nos para "terras longínquas", distante do Essencial, gerando o conflito da indignidade. Mas, quando percebermos que essa prática de desamor é resultado de nossa livre escolha, poderemos sempre voltar para "Casa", buscando a reabilitação pelo trabalho no bem, bem esse que começa em nós, nesse movimento amoroso conosco mesmos, para depois ir ao encontro do outro, reparando aquilo que fizemos inadequadamente.

O conflito desnecessário surge quando não queremos errar ou quando projetamos os erros para fora de nós, em outras pessoas, nas conjunturas da vida e até em Deus. A pessoa percebe os erros, mas não quer trazê-los consigo e, por isso, fica se lamentando por tê-los praticado, em um movimento de culpa ou através da fuga, projetando-os para fora de si, em um movimento de desculpa. Em ambas as situações o indivíduo gera para si mesmo conflitos desnecessários, pois não assume uma atitude de responsabilidade e aprendizado frente ao erro.

Essas duas polaridades, a **culpa,** que surge quando erramos e nos autojulgamos, autocondenamos e autopunimos, gerando uma perversão da consciência, e a **desculpa** que é o erro seguido da projeção de nossas deficiências nos outros, criando máscaras; em verdade, um processo vão de tentar eximir-se do problema, fomentando muitos conflitos desnecessários.

O conflito desnecessário é uma vã tentativa de fugir à Lei de Amor. A pessoa distancia-se do amor só que, diferentemente do conflito necessário que nos encaminha de volta ao amor, o desnecessário nos distancia ainda mais da solução do conflito, porque não precisamos nem nos cobrar, nem projetar as nossas deficiências nos outros. Quando fazemos isso criamos a fixação no erro.

O conflito desnecessário também causa dor, mas essa dor é completamente diferente da dor de se sentir indigno, no conflito necessário, buscando a reabilitação. Essa dor se transforma em sofrimento, semelhante àquela que o filho mais velho sente quando o seu irmão retorna a "Casa". É uma dor conflituosa, fruto de sentimentos muito negativos, como o orgulho, a vaidade, a presunção, a inveja, a cobiça, o ressentimento, etc., que até o momento do retorno do irmão estavam muito bem reprimidos e mascarados, representados na aura falsa de bom filho.

No caso do filho mais velho, que se sente perfeito, dentro do movimento de autoengano no qual ele vive, a causa desse sofrimento não partia dele, mas do seu irmão mais novo que era visto como uma pessoa indigna de retornar à "Casa" paterna. Nesse sentido, servindo-se das máscaras, o irmão mais velho desculpava-se e culpava o irmão pela indignidade presente em si mesmo.

Todas as pessoas que se autoenganam, criando a máscara da pseudoperfeição agem assim e geram conflitos desnecessários, que as distanciam muito da tarefa de autoaperfeiçoamento, pois se acreditam virtuosas e os outros, considerados pessoas viciosas, é que são as culpadas pelo mal que lhes acontece. Desculpam-se culpando os outros.

Retornemos à parábola dos dois filhos para estudar outra possibilidade hipotética de se criar conflitos desnecessários. Vejamos que a postura do filho mais novo é bem diferente. Ele percebe que havia errado por livre escolha e resolve retornar à "Casa do Pai", realizando um grande ato de amor por si mesmo. Porém, se ele, ao invés de ter praticado esse ato de amor, tivesse entrado em um conflito desnecessário, poderia ficar se culpando pelo afastamento da "Casa do Pai" e se lamentar, em um ato de autopiedade, a dizer: – Por que fiz isso comigo? Eu não devia ter feito isso. Na Casa de meu Pai havia abundância e agora estou aqui na carência. Pobre de mim. Estou aqui sofrendo toda essa carência, faminto sem nem ter comida de porcos para me alimentar. Mas é minha culpa. Só me resta ficar aqui sofrendo. Como sou infeliz aqui sofrendo tudo isso. – Por que o meu Pai não me impediu de ter feito isso? – Eu não mereço sofrer assim. – Mas será que sou capaz de me libertar desse sofrimento? – Que mal eu fiz para Deus para sofrer tanto assim? – Será que se eu voltar o meu Pai vai me aceitar? E se ele não me aceitar?

Enfim, ele poderia ter entrado em um estado de culpa e desculpa, com autojulgamento, autocondenação, autopunição, autopiedade e autojustificativa. Ele, simbolicamente, continuaria caído, acreditando-se vítima e algoz ao mesmo tempo, em um conflito completamente desnecessário.

Muitos de nós, ao nos percebermos em erros causados pelas nossas próprias escolhas, ficamos assim conflituados, culpando-nos e culpando os outros pelas nossas dificuldades.

Por que Jesus coloca na parábola o filho mais moço muito resoluto, caindo em si e buscando a sua reabilitação? Jesus, ao afirmar que o filho mais moço, em momento algum teve dúvida de sua reabilitação, mostra que existe sempre a possibilidade de se reabilitar, sem conflitos desnecessários, por meio dos quais nos culpamos ou nos desculpamos, colocando em dúvida as nossas potencialidades infinitas.

Como filho ele tinha certeza de que o "Pai" o aceitaria porque lembra que na "Casa do Pai havia abundância de pão", havia abundância de amor, e o amor acolhe sempre. Por isso, a busca pela reabilitação, dissipando os conflitos desnecessários é um grande ato de amor.

Ao invés de agirmos de forma resoluta, como Jesus sugere, podemos ficar lamentando de nos ter afastado da "Casa Paterna"? Podemos sim, mas não nos convém. Sempre teremos duas opções: entrar em conflito necessário e retornar à "Casa do Pai" ou ficar nas "terras longínquas" nos culpando e lamentando, ou ainda culpando os outros em um conflito desnecessário. Porém, tal atitude é um esforço vão, que nos faz desperdiçar o tempo de reabilitação.

Fazendo-se uma analogia, é como se você estivesse em uma viagem e errasse a estrada. O conflito desnecessário será representado pelo seu comportamento irascível – dar socos e pontapés no carro, culpando-o pelo seu erro ou blasfemando, xingando e dando socos em você mesmo por não ter visto a placa de sinalização que indicava o rumo correto. É assim que você resolve o problema? Você pode agir assim? Pode, mas não lhe convém. Qual será a solução do problema? Simplesmente, fazer a manobra e voltar para a estrada certa. Se fizer isso, daqui a pouco estará na estrada certa. Esse é o convite da vida. Ao fazer uma escolha errada é necessário, simplesmente, reconhecer o erro e buscar a reabilitação.

Portanto, é importante lembrar que você pode continuar vitalizando o conflito desnecessário, desequilibrando-se, ou pode escolher ser um aprendiz da vida e entrar no conflito necessário, que conduz à reabilitação perante a própria consciência, com o desejo intenso de recuperar o tempo perdido.

No conflito desnecessário colocamos sobre nossos ombros um fardo muito pesado que não damos conta de carregar. É fundamental tomar consciência disso para poder superá-lo.

Para a superação dos conflitos desnecessários é essencial que o indivíduo se aceite como um aprendiz da vida, com o direito de errar, mas, ao mesmo tempo com o dever de se responsabilizar pelo erro, aprender com ele e repará-lo.

Ao agir como aprendiz, o conflito desnecessário, com o seu peso que gera aflição, desaparece e a pessoa terá, como diz Jesus, "o descanso para a alma". Ainda que a causa geradora do conflito desnecessário não tenha se dissipado, esse nível de conflito vai desaparecer, tornando-se um conflito necessário que o impulsiona ao amor.

Ao se responsabilizar, aprender e se possibilitar a reparação, o indivíduo vai operar a transformação da causa com suavidade e leveza. Para se reabilitar vai ter um jugo a ser seguido, e um fardo a ser carregado, que é exatamente a reabilitação, porém o jugo é suave e o fardo é leve.

Como superar os conflitos

Para superar os conflitos faz-se necessária uma decisão de mudança porque, de acordo com o que nós estudamos anteriormente, viver conflituado é uma opção. Temos todas as condições para nos libertarmos dos conflitos desnecessários, a partir de uma decisão firme, aqui e agora, para podermos, ao longo do tempo nos libertar dos conflitos necessários, aperfeiçoando-nos como seres perfectíveis que somos. É essencial, como nos convida Jesus, utilizar a verdade para que a verdade nos liberte.

Fig. 1 – A ação de mudança

Observemos a figura 1 que representa, didaticamente, a ação de mudança. Primeiro é fundamental querer realizar a mudança. O querer nos remete à ação da vontade. É preciso se perguntar: – Eu quero verdadeiramente mudar? Muitas vezes falamos que queremos, mas o nosso querer é um querer de faz de conta, apenas em nível de desejo, representando uma mentira com a qual buscamos nos autoenganar.

A pessoa diz assim: – Eu quero, mas não dou conta; não sou capaz; mas é tão difícil; dá tanto trabalho. Será que vou conseguir? Sempre tem um "mas", um impedimento, porque a pessoa fala que quer, mas, na verdade ela quer ganhar uma graça divina. No fundo, a pessoa quer os benefícios da mudança, mas não quer pagar o preço pela transformação, conforme nos ensina *O Livro dos Espíritos* nas questões 909 e 911:

> Poderia sempre o homem, pelos seus esforços, vencer as suas más inclinações?
> Sim, e, freqüentemente, fazendo esforços muito insignificantes. O que lhe falta é a vontade. Ah! Quão poucos dentre vós fazem esforços!
> Não haverá paixões tão vivas e irresistíveis, que a vontade seja impotente para dominá-las?
> Há muitas pessoas que dizem: Quero, mas a vontade só lhes está nos lábios. Querem, porém muito satisfeitas ficam que não seja como "querem". Quando o homem crê que não pode vencer as suas paixões, é que seu Espírito se compraz nelas, em conseqüência da sua inferioridade. Compreende a sua natureza espiritual aquele que as procura reprimir. Vencê-las é, para ele, uma vitória do Espírito sobre a matéria.

Portanto, devemos buscar um querer de verdade. Querer realizar a ação para tornar real aquilo que idealizamos. Isso significa querermos ser uma pessoa melhor, que supera os seus conflitos dia a dia, alguém que trilha o caminho como aprendiz da vida, direcionando-se por um jugo suave e carregando um fardo leve. Se quisermos esse ideal de vida vamos trabalhar para realizá-lo.

O segundo passo é saber como e que ações devem ser realizadas para que a mudança se efetive. Não basta somente querer, é necessário saber como mudar. Isso é a essência do sentimento de aprendiz. O aprendiz não sabe ainda, porque se já soubesse não seria aprendiz. Então, ele vai buscar, quantas vezes forem necessárias, tomar lições de como e que ações realizar para se transformar em um Ser melhor.

Nas questões espirituais da vida, temos um manancial significativo da Verdade à nossa disposição, por exemplo, o Evangelho de Jesus, os grandes filósofos de todos os tempos, o Pentateuco Kardequiano, etc. Porém, a grande maioria das pessoas não busca dessa Verdade, por pura preguiça mental, pois o querer ainda é débil.

Muitos dizem que querem, mas não são capazes. Porém, quando se lhes mostra como, continuam reticentes. Na verdade, aqueles que agem assim ainda não superaram o primeiro nível de mudança que é o querer mudar. Quando esse nível é superado, o indivíduo torna-se ávido por saber quais ações ele necessita realizar para operar a mudança. Então, ele vai à busca e se torna capaz.

Depois de saber o que realizar é fundamental sentir **que se deve realizar**. Esta fase é o “Tendão de Aquiles” de muitas pessoas que dizem assim: – Ah! Será que vale a pena! Eu sei que seria muito bom viver dessa forma, mas é muita teoria. Nunca senti isso; será que eu dou conta, mesmo? Será que é tão bom assim?

Ninguém vai realizar alguma mudança em si mesmo, superando os conflitos desnecessários sem sentir em si mesmo que se deve realizar.

Enquanto a ignorância do não saber é mais fácil de ser superada, a ignorância do não sentir é muito mais difícil. Por isso é que muitas pessoas até sabem o que é melhor para elas, mas não realizam a mudança, porque ainda não sentiram, profundamente, a sua necessidade. Porém, o saber ajuda o desenvolvimento do sentir porque nos facilita o trabalho da consciência, a Lei de Deus dentro de nós. A partir dos conhecimentos adquiridos em nível do saber, oportunizamos a nós mesmos reflexões que nos convidam a sentir a necessidade de mudança.

O nível do sentir solicita-nos uma decisão firme e forte, a fim de realizarmos exercícios diários de reflexão sobre os benefícios da mudança, para que, aos poucos, ela se efetive. É fundamental a realização de exercícios, tantos quantos forem necessários e do esforço continuado, paciente e perseverante.

A realização dessas ações vai propiciar esse movimento do sentir que se deve realizar. Chega um momento em que a pessoa diz assim: Eu quero, eu sei o que é melhor para mim e eu sinto que realizar essa ação é o melhor caminho para mim.

Quando chegamos a esse nível profundo de percepção a respeito dos benefícios operados pela ação de mudança, essa se efetiva.

Porém, não se trata de uma mudança abrupta, pois ninguém consegue superar conflitos de uma hora para outra, entretanto, podemos tomar a decisão de começar aqui e agora. A partir da síntese do querer, do saber e do sentir, a mudança vai, gradativamente, acontecendo.

No entanto, a mudança dos conflitos desnecessários pelos conflitos necessários pode acontecer já, aqui e agora, assumindo-se, plenamente, a condição de aprendiz que toma a decisão de, em uma situação de erro praticado, sempre aprender com ele, sem se culpar, nem se desculpar pelo erro, assumindo a responsabilidade para repará-lo no momento correto.

A tendência a entrarmos em conflitos desnecessários nos culpando ou nos desculpando, um comportamento muito arraigado em nós, pode até continuar, mas, ao nos sentirmos aprendizes, imediatamente, transmutaremos a tendência e assumiremos a postura responsável de aprendizado. Para isso, é muito importante realizar exercícios, que são fundamentais para a mudança em nível do querer, do saber e do sentir para nos tornarmos, plenamente, aprendizes da vida.

É importante frisar que essa divisão dos três processos é apenas didática, pois os pensamentos, os sentimentos e a vontade são inseparáveis. Estão em sinergia e em "feedback" constante.

Estudemos a seguir, a partir das figuras 2 e 3, a maneira como poderemos fazer esses exercícios de transmutação, desenvolvendo o sentimento de aprendiz.

FIG. 2 – TIPOS DE CONFLITOS E COMO SUPERÁ-LOS

FIG. 3 – COMO LIDAR COM AS NEGATIVIDADES

Para lidar com nossos pensamentos, sentimentos e comportamentos negativos, doentios nós teremos três escolhas a realizar: duas ***desequilibradas*** e uma ***equilibrada***.

A primeira opção "desequilibrada" é quando damos guarida às negatividades em qualquer nível que se apresente, seja em nível do pensamento, do sentimento ou do comportamento. Dar guarida significa vivenciar plenamente a negatividade. O conceito de negatividade, em uma visão psicológica transpessoal, é entendido como o afastamento da Lei do Amor, que é o nosso objetivo maior.

Foi essa a atitude do filho mais novo, na parábola dos dois filhos quando solicita, egoisticamente, ao "Pai" toda a sua herança e parte para "terras longínquas", a fim de viver dissolutamente. Ele dá guarida, utilizando o seu livre-arbítrio, a tudo que havia de mais abjeto em si, afastando-se do amor que existe sempre na "Casa do Pai", isto é, dentro de si mesmo. Sofre as consequências desse afastamento e depois cai em si, percebendo, sem entrar em momento algum em culpa ou desculpa, que é ele mesmo a causa daquele sofrimento e que pode voltar ao amor para ser feliz. Sente-se indigno por ter dado vazão a todas aquelas negatividades, mas retorna a "Casa" e solicita ao "Pai" a sua reabilitação pelo trabalho no bem. Em momento algum ele perde a essência de aprendiz, pois ao reconhecer o erro, assume a responsabilidade, arrepende-se, aprende e busca reparar esse erro.

Essa seria a trajetória de muitos de nós, caso não entrássemos nos conflitos desnecessários. Utilizaríamos a consciência do dever presente em nós mesmos, todas as vezes que tentássemos abafar a consciência da verdade em nós. Isso geraria o conflito necessário para retornarmos à "Casa do Pai", ao Amor Essencial, porque na condição de aprendizes da vida que nós somos e espíritos criados simples e ignorantes estamos em processo de aperfeiçoamento e, por isso, temos muitas negatividades a serem transformadas em aprendizado, até a sua completa depuração. Nessa perspectiva não transformamos os nossos pensamentos, sentimentos e comportamentos em inimigos que reprimimos, violentamente, através da culpa ou da fuga, pela desculpa. Desse modo, vemos o erro com a naturalidade do aprendiz que aprende sempre, tanto com os seus acertos, quanto com os seus erros.

A segunda opção "desequilibrada" é o resultado de se tentar negar, reprimir e fugir das negatividades geradas pelos mecanismos de culpa ou de desculpa. O indivíduo cria os conflitos desnecessários, pois há uma autoexigência para se tornar perfeito por autodecreto ou por uma tentativa de fuga do aperfeiçoamento. Nas duas situações ocorre um mascaramento das negatividades.

Essa é a postura do irmão mais velho da parábola, colocando-se como perfeito cumpridor das obrigações e culpando o irmão pela indignidade que sentia. Ele não percebe as negatividades dentro de si, porque as reprimiu intensamente, criando uma máscara de pseudoperfeição. Quando o irmão retorna, sua máscara cai, porém, ele não se apercebe, vitalizando ainda mais os sentimentos abjetos que traz dentro de si, tais quais: o orgulho, a vaidade, a cobiça, o despeito, o ciúme, a inveja, etc., projetando tudo isso no irmão, que via como desequilibrado, opondo-se a ele próprio, o perfeito exemplo de equilíbrio.

Nessa perspectiva o indivíduo trata suas negatividades como inimigas que necessitam de repressão intensa, para se criar a pseudoperfeição, ou negadas, em um processo de fuga, projetando as negatividades nos outros.

Quando criamos os conflitos desnecessários necessitamos realizar a conciliação com os adversários, porque tratamos pensamentos, sentimentos e comportamentos negativos como inimigos. Por isso é preciso primeiramente transformá-los em amigos para sair dessa prisão do mascaramento, que se constitui em um bloqueio que impede o aperfeiçoamento interior, produzindo mais conflitos desnecessários, em um círculo vicioso.

A criação de conflitos desnecessários gera sérios problemas que levaremos muito tempo para superar. Por isso é que Jesus nem aborda, na parábola, a recuperação do filho mais velho. Ele fala somente da recuperação do filho mais novo porque essa se processa de maneira muito mais rápida.

Quando damos guarida às negatividades, a consciência sempre nos alerta, porém, quando, ao invés de transmutarmos a negatividade, após o alerta da consciência, simplesmente a reprimimos e a negamos, afastamo-nos do sentimento de aprendiz, seja por acreditarmos que já somos mestres e não precisamos aprender, seja por negarmos, deliberadamente, a necessidade de aprender, pelo mecanismo de projetar os erros nos outros. Comumente, vivenciamos os dois mecanismos simultânea e consecutivamente.

Agora estudemos a única opção "equilibrada", que é a de transmutar as negatividades.

Quando damos guarida às negatividades, praticando o desamor e acolhemos essa atitude com o sentimento de aprendiz, nós as aceitamos como parte de nós e não como inimigas nossas. Nós entramos no conflito necessário para restabelecer o equilíbrio resultante da prática do amor. Imediatamente, entramos no processo de aprendizado com relação ao erro, para transmutar, com esse ato, o desamor em amor. A evolução acontece com suavidade e leveza, como é a proposta de Deus para todas as suas criaturas, que Jesus nosso Mestre nos ensinou.

Porém, quando não aceitamos as negatividades, querendo a todo custo reprimi-las, negá-las ou fugir delas, como se isso fosse possível, criamos os conflitos desnecessários e precisaremos realizar a conciliação com os pensamentos, sentimentos e comportamentos negativos que se tornam nossos adversários internos, processo esse que faz mais demorada a evolução, já que bloqueia a nossa energia mental.

Quando tratamos as negatividades como inimigas elas se fortalecem, como ocorreu com o filho mais velho. Imaginemos, agora, que o filho mais velho encontra-se arrependido de todas as suas atitudes. Nesse caso o que ele vai fazer? Ele necessita fazer o caminho de volta à "Casa do Pai". Apesar de ele estar sempre "perto da casa", como nos relata a parábola, o caminho de volta para ele vai ser mais longo do que para o irmão, pois ele vitalizou durante muito tempo a ausência de comunhão com o Pai. Primeiro vai necessitar tirar as máscaras. Mas, ao tirá-las o que vai perceber? As feridas que ficaram ocultas com as máscaras. Todas as negatividades que ele tratou como inimigas estarão à mostra como feridas precisando ser curadas.

A cura desse processo chama-se conciliação com os adversários, conforme recomenda Jesus em Mateus: 5,25-26:

> Concilia-te depressa com o teu adversário, enquanto estás no caminho com ele, para que não aconteça que o adversário te entregue ao juiz, e o juiz te entregue ao oficial, e te encerrem na prisão. Em verdade te digo que de maneira nenhuma sairás dali enquanto não pagares o último ceitil.

A parábola da conciliação com os adversários pode ser interpretada de maneira mais superficial e mais profunda. A superficial é quando interpretamos os adversários tais quais os inimigos externos, isto é, aqueles que nos fizeram alguma coisa ou nós fizemos a eles, criando uma inimizade.

A Mentora Espiritual Joanna de Ângelis no livro *Triunfo Pessoal* propõe-nos uma visão mais profunda. Ela diz que esses adversários são os adversários internos, os pensamentos, sentimentos e comportamentos negativos:

> Na condição de Psicoterapeuta por excelência, Jesus, analisando os conflitos que atormentam o ser humano, exarou com sabedoria, conforme as anotações de Mateus no capítulo cinco do seu Evangelho, no versículo vinte e cinco: 'Concilia-te depressa com o teu adversário, enquanto estás no caminho com ele, para que não aconteça que o adversário te entregue ao guarda, e sejas lançado na prisão'.
>
> Inevitavelmente percebe-se que o adversário é interno, são as paixões dissolventes que aturdem o ser e que, em desalinho, encarceram a consciência nos conflitos, gerando os tormentos a que se entregam todos aqueles que se deixam vencer pela culpa, transformada em fobia, ou em angústia, ou em ansiedade, ou em insegurança, ou em transtorno neurótico de outro porte qualquer.
>
> Logo depois, no versículo vinte e seis do mesmo capítulo, Ele aduziu: 'Em verdade te digo que de maneira nenhuma sairás dali enquanto não pagares o último ceitil'.
>
> A oportuna referência tem um caráter terapêutico, lecionando que se faz necessária para paz íntima, a

> reconciliação com o adversário – os referidos hábitos mórbidos, perturbadores, transformando-os em agentes de progresso e de renovação, mediante os quais instalam-se o equilíbrio, o bem-estar, a saúde, o reino dos céus na Terra transitória.
> Essa salutar identificação dos valores do 'Self', a perfeita integração nele, constitui uma das bem-aventuranças, aquela que faculta ao homem a felicidade terrena, prelúdio da vida espiritual futura, a que está destinado [...]. [12]

Analisando a proposta da Benfeitora Espiritual, percebemos a sua profundidade e, por isso, temos trabalhado dentro dessa visão, pois partimos do pressuposto que, até para que haja a conciliação com os adversários externos, faz-se necessário primeiro a conciliação com os adversários internos.

Só vamos perdoar, verdadeiramente, alguém que nos feriu, quando nos conciliarmos primeiramente com o orgulho ferido, gerador da mágoa e do ressentimento. Se não houver essa conciliação interna, a conciliação com o adversário externo é de faz de conta; a pessoa diz que perdoa com os lábios, mas não quer que o outro esteja bem. O orgulho ferido faz com que ela projete no outro as suas dificuldades. É o movimento de desculpa e projeção da culpa no outro. Por isso é imperiosa, antes da conciliação com os adversários externos, a conciliação com os adversários internos.

[12] Divaldo P. FRANCO, *Triunfo pessoal*, pág. 158-159.

Quando Jesus diz: **"concilia-te depressa com teu adversário"**, o vocábulo 'depressa' significa aqui e agora, neste momento. **"Enquanto estás no caminho com ele"**, significa o momento em que o adversário está se manifestando. Ao se manifestar a negatividade, temos a opção de conciliar, tratá-la como amiga e não como adversária.

Se não tratarmos os pensamentos, sentimentos e comportamentos negativos tais quais adversários, a conciliação será automática, uma vez que o indivíduo, nessa posição se vê como um aprendiz da vida, cujos pensamentos, sentimentos e comportamentos negativos fazem parte de si, de quem está em processo de aperfeiçoamento. Com isso, ele não entra em um conflito desnecessário e, consequentemente, não vai para a "prisão".

Porém, se em algum momento reprimimos ou negamos a negatividade, transformando-a em inimiga, esse adversário vai nos entregar ao juiz, e o juiz nos entregará ao oficial para nos colocar na "prisão". Que prisão é essa? A "prisão" é o símbolo dos conflitos desnecessários, a culpa e a desculpa.

A culpa começa no processo de autojulgamento. A pessoa transforma-se em juiz dela mesma, para se autocondenar e se autopunir. A autopunição é um mecanismo de prisão sem grades, no qual criamos doenças físicas e emocionais com o objetivo de nos punir por não sermos tão perfeitos como gostaríamos. É a doença existencial daqueles que não assumem a condição de aprendizes da vida. Eles querem ser mestres sem passar pelo caminho que leva à maestria, que é feito de aprendizado.

A desculpa também começa no autojulgamento. O que a diferencia da culpa é que a pessoa projeta as suas imperfeições nos outros, acreditando-se sem nenhuma dificuldade, como faz o filho mais velho da parábola. A pessoa se justifica projetando a culpa nos outros. Com isso, vitaliza uma máscara que a mantém também em uma prisão sem grades, mas como está cheia de presunção acredita estar vivendo em um hotel cinco estrelas, pois se supõe perfeita e digna de todas as benesses. Também cria doenças existenciais, ainda mais graves do que aquelas abordadas no mecanismo anterior, que somente com o tempo bem utilizado, no futuro, poderá perceber e tratar.

Muitos de nós passamos a vida inteira, assim, em conflitos desnecessários, muitas vezes com predomínio em uma das polaridades ou oscilando entre a culpa e a desculpa.

Cedo ou tarde, todo indivíduo que entrou pelos caminhos dos conflitos desnecessários vai perceber que está em uma prisão sem grades, por não ter se conciliado com as suas negatividades. Quando a pessoa percebe que está em conflitos e quer sair deles, o que deve fazer? Fazer o caminho de volta à "Casa Paterna". Porém, como fazer o caminho de volta se ela está em uma "prisão"? Não dá para sair da "prisão" simplesmente, sem realizar uma ação que, simbolicamente, Jesus chama, na parábola, de pagar "o último ceitil".

Percebamos que esse caminho é diferente daquele traçado pelo filho mais novo. O filho arrependido nem foi para a prisão, porque não se culpou, nem se desculpou pelos seus erros, mas simplesmente, assumiu a responsabilidade, arrependeu-se ao se sentir indigno, aprendeu com o erro e, imediatamente, voltou para "Casa", em um ato de autoamor, com a finalidade de reparar o desamor praticado, através do trabalho no bem.

Estamos abordando a reabilitação daqueles que têm a postura do filho mais velho. O filho mais velho entra fundo na "prisão", que ele acredita ser um hotel cinco estrelas, pois, considera-se o perfeito cumpridor das obrigações. O "Pai" o convida a adentrar a "Casa", para entrar em comunhão com o irmão que havia revivido, mas ele não aceita o convite e fica indignado com o fato do "Pai" ter acolhido o seu irmão, que ele acreditava não merecesse estar ali e que devia ser banido para sempre da "Casa". Ele está, francamente, em uma "prisão" difícil de sair.

Porém, vai chegar o momento em que ele vai se perceber na prisão e desejar retornar à "Casa Paterna", pois essa é a destinação de todos nós. Antes, porém, é preciso sair da prisão. Para sair da "prisão" é necessário pagar o "último ceitil", a fiança estabelecida para sair.

Portanto, a fiança para sair dessa prisão, sem grades, chamada conflitos desnecessários é o "último ceitil".

Jesus diz: **"Em verdade te digo que de maneira nenhuma sairás dali enquanto não pagares o último ceitil".**

Analisemos essa metáfora que Jesus usa de forma magistral. "Ceitil" é a menor porção de uma moeda. Seria equivalente a um centavo. Não vale nada aparentemente. Por que Jesus utiliza esse símbolo? Na acepção que estamos trabalhando, pagar "o último ceitil" significa fazer um pequeno exercício de mansidão e humildade de coração, do valor de um ceitil, para reconhecer que os problemas que nos geram os conflitos desnecessários não acontecem por causa dos outros, devido a fatores alheios à nossa vontade, mas são causados por nós mesmos. Se os problemas são de nossa responsabilidade a solução também o é. Somente nós podemos resolvê-los. Quando reconhecemos, humildemente, que estamos na "prisão", devido à nossa própria incúria e não por fatores externos, pagamos o "ceitil" e saímos da prisão.

É de humildade e mansidão, do tamanho de um "ceitil", que precisamos para sair da "prisão", porque, se necessitássemos de uma grande humildade para sair, não conseguiríamos pagar a fiança e ficaríamos pela eternidade na "prisão". Como Deus é amor e não bane nenhum de seus filhos de Seu Reino, o que Ele pede de nós é um mínimo de humildade e mansidão para assumirmos a condição de aprendizes, espíritos ainda imperfeitos, mas perfectíveis. Ao realizar essa ação saímos da "prisão" da culpa e da desculpa e nos conciliamos com os adversários internos chamados orgulho, egoísmo, irresponsabilidade, presunção, etc., transformando-os em amigos evolutivos. Se não fizermos isso voltaremos para a "prisão".

Somente após a conciliação, quando os adversários tornam-se aliados, é que o indivíduo irá começar o processo de superação dos conflitos necessários, pois, não basta a conciliação com os sentimentos que nos geraram a culpa e a desculpa, é preciso assumir a responsabilidade pelos erros, aprender com eles e repará-los para não retornar à "prisão".

Por isso, o caminho de volta à "Casa Paterna", para aqueles que vitalizam uma postura semelhante a do filho mais velho, é muito mais longo do que para aqueles que assumem uma postura semelhante a do filho mais novo.

Portanto, é fundamental que aprendamos a usar o poder transformador do amor. O amor é esse poder que temos em nossos corações. Fomos criados com esse poder, que está, ainda, latente, mas que podemos despertar a qualquer momento, ao desejarmos exercitar esse poder amoroso que representa, para nós, o desenvolvimento da saúde existencial.

Essa energia amorosa e poderosa está à nossa disposição o tempo todo e, para utilizá-la, basta que escolhamos sempre a postura do aprendiz, transformando os seus conflitos necessários em aprendizados de amor. Ao realizarmos isso nos reabilitamos pelo amor e pelo trabalho no bem em nós mesmos, o qual nos repletará de alegria e felicidade, permitindo-nos distribuir em torno de nós o amor, o bem, o bom e o belo, multiplicando as bênçãos de alegria e felicidade com o nosso próximo.

Capítulo 3

Os valores da vida

Existem em nossa vida três grandes valores representados pelos verbos ser, fazer e ter. A harmonia desses valores é fundamental para o equilíbrio da vida, pois determinam a forma como levamos a vida e, consequentemente, o grau de felicidade ou infelicidade que nos proporcionamos, dependendo das escolhas por nós efetuadas.

Possuem esses valores as seguintes características:

• **Ser** – por meio do **ser** entramos em contato com os valores intrínsecos da vida, experimentando a sensação de sermos conscientes, responsáveis pela nossa própria felicidade e plenitude. É o estado de identificação com o Ser Essencial que somos.

• **Fazer** – o **fazer** representa o movimento e a atividade imanente no Universo. Tem origem na energia criativa que permeia todo o Universo. É com o ato de fazer que nós nos tornamos cocriadores e podemos agir criativamente quando em sintonia com o Ser Essencial que somos. Estaremos realizando, harmoniosamente, as nossas atividades em família, no trabalho, no lazer, nos estudos, em sociedade.

• **Ter** – através do **ter** nos relacionamos com as pessoe coisas em nossa vida. Entramos em contato com as posses, bens e relacionamentos. É através do ter que usufruímos aquilo que fazemos e desenvolvemos o desapego daquilo que nós temos, fundamental para o aprimoramento do Ser.

Façamos uma representação de nossa vida comparando-a, simbolicamente, a um triângulo. O **fazer** e o **ter** são os vértices da base desse triângulo. São valores horizontais, pois estão relacionados às questões transitórias da vida. O **ser** é o ápice do triângulo, é um valor vertical, porque está relacionado às questões permanentes da vida.

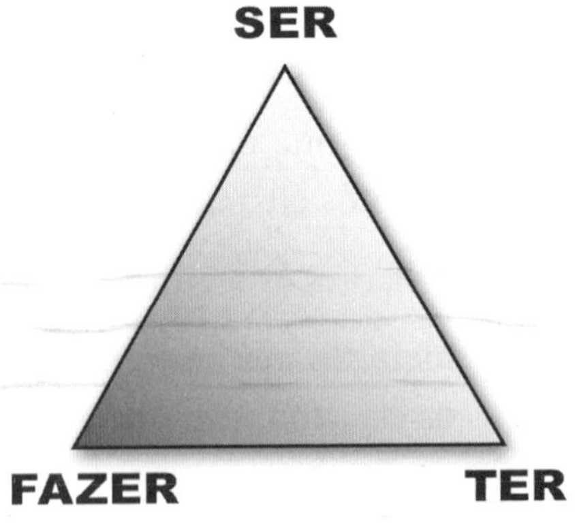

FIG. 4 – OS VALORES DA VIDA

Jesus nos ensinou em Mateus: 6,21: **"Porque onde está o teu tesouro, também estará o teu coração"**. Quando a pessoa se encontra com as características de cada valor alinhadas entre si, todas concorrendo para o mesmo fim, o aperfeiçoamento do Ser gera para si mesma harmonia e equilíbrio, resultando em um estado de felicidade e plenitude, em que a vida encontra o seu verdadeiro sentido, na qual o fazer e o ter são realizados em prol da harmonia e do equilíbrio do ser. O tesouro estará no lugar certo: o aperfeiçoamento do Ser Espiritual que somos.

Quando acontece uma inversão de valores, isto é, quando a pessoa coloca todo o seu tesouro em níveis básicos, horizontais, buscando, por exemplo, ter muitas coisas ou muito dinheiro, apegando-se aos bens materiais, fazendo atividades, utilizando o seu poder cocriador em ações contrárias à lei de amor, estará em desarmonia. Mesmo que ela busque com essa atitude ser feliz, ocorrerá aquilo contrário à sua vontade: a infelicidade.

Essa postura produz muita ansiedade, inquietude. A vida deixa de ter um sentido, pois se busca a felicidade em coisas materiais, em atividades e na realização de desejos puramente egoicos, pois a felicidade não se encontra nos valores materiais, mas sim nos valores espirituais do Ser. O fazer e o ter são apenas meios para a evolução do Ser. Quando esses níveis tornam-se fins e não meios, ocorre uma ruptura com a missão transpessoal de todo ser humano que é a evolução que visa alcançar a plenitude e o amor.

Uma pergunta pode estar lhe passando pela mente: ganhar dinheiro, ter bens e posição social de destaque são contrários à lei de amor? Claro que não. Dinheiro, bens, posição social são recursos valiosos que temos à nossa disposição para exercermos o nosso papel de cocriadores. O problema está na forma como conseguimos o dinheiro, os bens, as posições sociais. Se conquistarmos tudo isso com o nosso esforço, sem prejudicar ninguém, sem nos apegarmos a esses valores transitórios da vida, estaremos atuando em conformidade com as leis de amor e conseguiremos viver em harmonia e felicidade.

Ao contrário, se para termos bens materiais lesamos outras pessoas, a comunidade, o meio ambiente, ou a nós mesmos, trabalhando demais, por exemplo, apegando-nos intensamente àquilo que sabemos ser transitório na vida, pois todos nós deixaremos qualquer bem material quando da nossa morte no corpo físico, então estamos vivendo de uma forma francamente contrária à lei de amor.

A consequência dessa atitude é a infelicidade e a desilusão. Mesmo que tenhamos tudo que o dinheiro pode comprar, diferentemente daquele argumento que as pessoas, em uma tentativa de fuga da realidade, muitas vezes empregam: "O dinheiro não traz felicidade, manda buscar", o dinheiro jamais irá comprar a felicidade, pois ela é uma conquista interior, fruto da consciência tranquila, daquele que já reconhece o verdadeiro sentido da vida.

Esta é uma situação bastante comum. As pessoas, frequentemente, buscam fazer coisas claramente ilícitas para ter cada vez mais dinheiro e com isso, "serem" felizes, sem jamais terem encontrado a felicidade. Outras vezes, as pessoas até fazem coisas lícitas, do ponto de vista humano, como, por exemplo, fabricar ou comercializar cigarros, bebidas alcoólicas, armas, etc., mas, por serem contrárias à lei de amor que organiza o Cosmos, podem acumular muitos bens, mas jamais terão a felicidade e a plenitude.

Somente buscando ***ter*** posses que não prejudiquem os outros ou a nós mesmos, ***fazer*** atividades com amor, enfim utilizar o amor como um direcionador da nossa vida é que ***seremos*** plenamente felizes.

Outra dificuldade muito comum em relação ao ***ter*** é o apego que as pessoas sentem àquilo que não têm e lhes faz muita falta. Isso acontece quando não possuem determinados bens ou relacionamentos, que elas acham imprescindíveis para conseguirem a felicidade. Desesperam-se quando não conseguem o que desejam, em uma clara relação de apego ao que não têm.

A integração dos valores: vivencia a vida com inteireza

Para se conseguir a saúde existencial é necessário buscar a essência da vida, vivendo com inteireza. Nossa tendência, por fatores culturais, é viver de uma forma muito fragmentada, realizando o que mestres orientais chamam de "ilusão da separatividade". Separamos os valores relacionados ao **fazer** e ao **ter,** do **ser**.

Vejamos na figura 5 os valores ligados ao **ser**, **fazer** e **ter**.

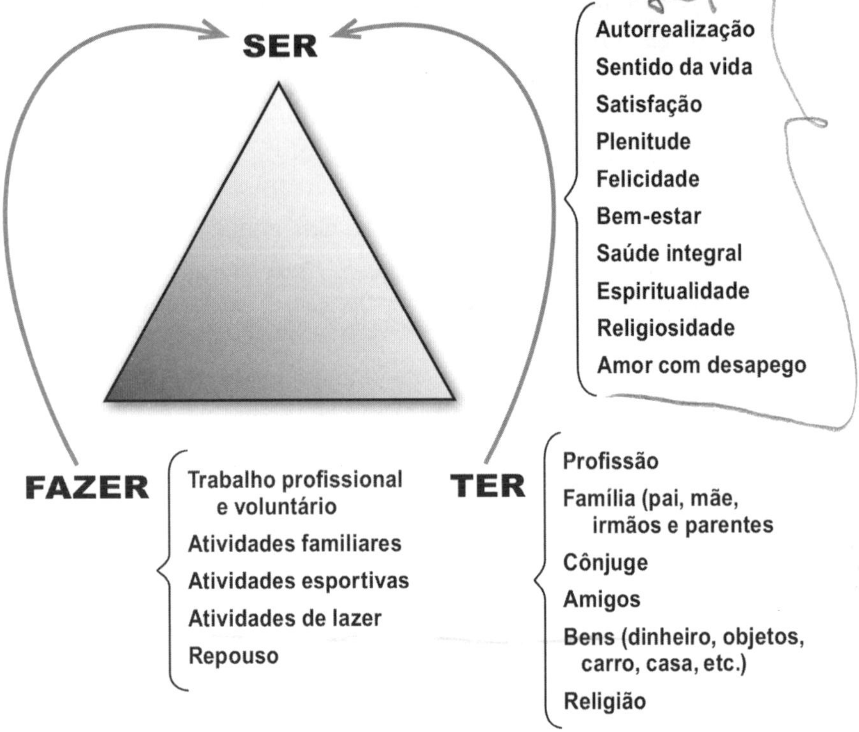

FIG. 5 – A INTEGRAÇÃO DOS VALORES

O valor do **Ser** está relacionado à nossa essência, ao Ser Essencial que somos, através do qual entramos em contato com os valores transcendentes permanentes do ser, como a autorrealização, a realização interior que está ligada ao verdadeiro sentido da vida, à satisfação de viver, à plenitude, à felicidade, ao bem-estar, à saúde do corpo, da mente e do espírito, à espiritualidade que nos conecta conosco em essência, à religiosidade que nos reconecta com Deus, ao amor com desapego, enfim a todos os atributos do ser.

Esses valores intrínsecos ao ser jamais os perdemos, porquanto, mesmo quando o nosso corpo morrer os levaremos conosco, conforme nos orienta Jesus em Mateus: 6,20 – **"Mas ajuntai tesouros no céu, onde nem a traça nem a ferrugem consomem, e onde os ladrões não minam nem roubam".**

No entanto, o **ser** não exclui os valores do **fazer** e do **ter**, quando estes estão em harmonia com o **ser**. Então, através do **fazer** vamos lidar com o trabalho profissional, trabalho voluntário, atividades familiares, esportivas, repouso, enfim todas as atividades que realizamos.

O **fazer** e o **ter** estão intimamente ligados. Fazemos alguma coisa para ter algo, como a profissão, os relacionamentos em família, cônjuges, amigos, bens materiais, religião.

Os valores ligados ao **ser** são verticais, e os valores relacionados ao **fazer** e ao **ter** são os horizontais. Os valores verticais incluem os horizontais quando estão harmonizados com o ser. Porém, os valores horizontais não estarão, necessariamente, em sintonia com os verticais. Isso só acontece se tivermos um movimento vertical diante da vida, buscando sempre os valores ligados ao **ser,** realizando ações que estejam sintonizadas com a inteireza da vida.

Uma pergunta pode estar surgindo em sua mente, caro (a) leitor (a): – Como posso incluir o **fazer** e o **ter** dentro do **ser**? Você inclui o **fazer** e o **ter** no **ser**, porque, como estes são valores horizontais, eles estão inclusos no vertical, se o seu tesouro estiver no **ser**. Porém, se o seu tesouro estiver na horizontalidade do **ter** isso não é possível, pois o horizontal não pode incluir o vertical, por ser o valor vertical o mais significativo. O menos significativo não inclui o mais significativo, mas o mais significativo inclui o menos significativo. Nessa inteireza, através dos valores horizontais, estaremos sempre buscando o valor imperecível do **ser**.

Viver a vida com inteireza não significa privilegiar os valores do **ser** em detrimento dos outros valores, pois isso é um equívoco. Se nós estamos encarnados no mundo físico é para vivermos no mundo e não fora dele, desprezando os valores ligados ao **fazer** e ao **ter**. É disso que se constitui a nossa provação. Teremos no mundo a tentação de nos apegarmos à vida material e vivermos como se não fôssemos espíritos imortais, momentaneamente, encarnados. No entanto, se vivermos sempre buscando os valores imperecíveis do **ser** em tudo o que **fizermos** e **tivermos,** praticando o desapego, passaremos na prova e evoluiremos, caso contrário, voltaremos a repetir as mesmas provas, tantas vezes quantas forem necessárias, até conseguirmos passar por elas.

Por isso, muitas pessoas, em razão da interpretação religiosa equivocada das orientações cristãs, passam a desprezar os valores ligados à vida material, como se isso fosse virtuoso. Acreditam, com isso, que estão evoluindo. Para evoluir é preciso viver no mundo sem colocar os valores do mundo em primeiro lugar. É estar no mundo sem nos corrompermos com os valores puramente materiais.

Durante o período que nós estivermos encarnados teremos muitos convites para nos corrompermos e nos tornarmos ***teres humanos,*** em detrimento dos ***seres humanos*** que somos. Porém, somente nos tornaremos ***teres humanos*** se usarmos mal o nosso livre-arbítrio, pois não são os convites do mundo que nos corrompem e sim nós que nos corrompemos com esses convites.

Vivemos em um mundo ainda cheio de tentações em todas as áreas. Contudo, só mergulharemos nessas tentações se não seguirmos a recomendação de Jesus, anotada por Mateus: 26,41 – **"Vigiai e orai para que não entreis em tentação"**. Se não formos vigilantes, viveremos no mundo como ***teres humanos***, abusando de todos os valores materiais que não nos pertencem, mas sim a Deus, criando para nós mesmos graves consequências no futuro. Ao contrário, se formos vigilantes usufruiremos de todos os recursos materiais, que nos são emprestados por Deus, para evoluirmos, aprendendo o desapego, a partir do uso correto de todos esses bens.

Portanto, é um equívoco focar **mais** o **ser**. O que necessitamos é focar **sempre** o **ser**, porque, ao focarmos o **ser** englobamos os outros valores. Não é mais um valor e menos os outros. Quando focamos mais os valores do **ser** em detrimento dos outros nos desconectamos da essência da vida, pois estaremos fugindo das provas que nos cabem passar.

Vejamos agora a figura 6, que representa as pessoas que privilegiam o **fazer** e o **ter** em detrimento do **ser**, gerando, também, uma desconexão da essência da vida. Como nós estudamos, o indivíduo que privilegia os valores horizontais do **fazer** e do **ter,** ao invés dos valores do **ser**, transforma-se em um ***ter humano***, pois coloca o tesouro no lugar errado, desconsiderando o que Jesus recomenda em Mateus: 6,19 – **"Não ajunteis tesouros na terra, onde a traça e a**

ferrugem tudo consomem, e onde os ladrões minam e roubam".

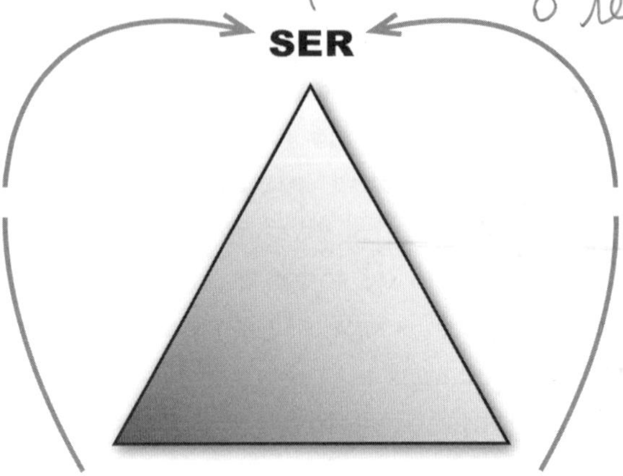

FAZER

- Trabalho profissional destituído de sentido apenas para ter
- Trabalho voluntário por vaidade ou por obrigação
- "Fazedor" de coisas

TER

- Profissão para ter bens adquiridos a qualquer custo
- Relacionamentos com apego
- Relacionamento para usar as pessoas
- Religião sem religiosidade e espiritualidade

FIG. 6 – A DESINTEGRAÇÃO DOS VALORES

Para podermos desenvolver a integração de valores em nossa vida cotidiana, vivendo-a com inteireza, é fundamental que cada um de nós se pergunte: – Onde está o meu tesouro? Meu tesouro está naquilo que eu sou, ou naquilo que faço ou tenho?

Para viver a vida com inteireza, o tesouro deve estar sempre em nível do **ser**. Isto significa que em tudo que formos **fazer** ou **ter** deveremos cultivar os valores transcendentes do **ser:** autorrealização, sentido da vida, plenitude, felicidade, bem-estar, espiritualidade, religiosidade, amor com desapego.

A vida com inteireza é o resultado da prática de um axioma ensinado por Jesus, em Mateus: 6,33: **"Mas, buscai primeiro o reino de Deus e a sua justiça, e todas estas coisas vos serão acrescentadas".**

O "reino de Deus" está presente no valor vertical do **ser** e as "coisas" nos valores horizontais do **fazer** e do **ter**.

A cultura ocidental é uma cultura fragmentada, que separa as coisas que **fazemos** e **temos** das coisas do **ser** que somos. Acreditamos, devido a esse pensamento fragmentado, que cuidamos do **ser** apenas quando estamos realizando uma atividade religiosa ou espiritual. Se nós estamos trabalhando, nos divertindo, em atividades em família, etc., não estamos cultivando as questões relativas ao **ser.**

Nessa linha de raciocínio, o indivíduo cultuará o **ser** quando estiver orando, quando estiver em seu templo religioso, ou em outra prática ligada ao espiritual. Então, o trabalho, por exemplo, não tem nada a ver com **ser**. Essa fragmentação acaba gerando uma vida sem sentido. A pessoa trabalha simplesmente porque precisa ganhar dinheiro para viver, sem que o seu trabalho faça parte da sua vida espiritual.

Agora, será que existirá qualidade na vida de alguém que não vê um sentido espiritual no seu trabalho? É claro que a sua qualidade de vida vai ser muito baixa. Vai ser extremamente angustiante o fato de uma pessoa não ver um sentido espiritual para o seu trabalho, porque ela passa 1/3 de seu dia, ou mais, no trabalho. Se ela não enxergar um sentido naquela atividade vai ser muito frustrante.

O sentido está onde? Está no que nós fazemos? No dinheiro que obtemos ou no ser que somos? Para perceber as coisas com inteireza é preciso nos direcionar ao ser que nós somos na verticalidade da vida.

Se refletirmos bem, vamos perceber que só nos sentimos felizes quando estamos conectados com o **ser**. Se estivermos fragmentados nos sentiremos infelizes e desconectados da vida. Se, em todos os momentos estivermos em contato com o ser vamos aprender alguma coisa, evoluir. Isso gera a felicidade e a plenitude que produz a autorrealização do ser. É o despertar para a essência da vida, para poder evoluir e crescer.

Para isso, é necessário fazer exercícios de inteireza. Portanto, se em cada atividade a ser realizada, seja na simples escovação de dentes, que você pode fazer sem sentido, ou meditando no sentido daquilo para a sua saúde, seja na orientação para a secretária doméstica, por exemplo, sobre as atividades que ela vai realizar naquele dia, se você estiver com o pensamento fragmentado poderá dizer: – Que coisa chata. Todo dia ter de explicar para a doméstica o que é para fazer, como é para limpar a casa, o que é para fazer para o almoço. Que coisa rotineira, maçante.

Agir assim significa fragmentação. Você está desconectado do **ser**. A vida se torna pesada, o jugo é perverso, o fardo muito pesado de carregar. Podemos agir assim em nossas atividades cotidianas? Podemos, mas não nos convém fazer isso conosco.

No entanto, se, ao invés da fragmentação, você realizar exercícios de inteireza pode dizer assim: – Mais um dia no qual estarei orientando a secretária a realizar as atividades que vão me proporcionar um lar mais harmonioso, limpo, agradável, uma comida gostosa... Ao mesmo tempo em que estou colaborando com ela no seu desenvolvimento enquanto pessoa.

Ao realizar esse exercício de inteireza você irá realizar a mesma atividade, conectado com o **ser** que você é, e também conectado com o **ser** que a sua secretária é. Todos nós crescemos com essa postura.

Portanto, ao fazermos exercícios para perceber a inteireza saímos da rotina e nos liberamos do tédio de uma vida sem sentido, transformando aquilo que achávamos enfadonho em algo repleto de sentido, proporcionando-nos alegria, prazer, bem-estar e felicidade.

Vejamos, a seguir, as diversas atividades ligadas ao **fazer** e ao **ter**, colocadas nas figuras 5 e 6 e a maneira pela qual poderemos realizar exercícios de inteireza para sempre nos conectar com o **ser**.

Trabalho profissional; profissão; bens materiais adquiridos com o trabalho

O trabalho profissional destituído de sentido apenas para "ter" gera muitas distorções.

Existe o caso da pessoa que almeja uma profissão apenas para ganhar muito dinheiro. Com isso em mente busca um trabalho profissional que lhe dá muito dinheiro, mas que não a satisfaz enquanto ser. Por exemplo, uma pessoa que tem uma vocação para ser professor de História, mas como essa profissão não lhe oportunizará o dinheiro que deseja, resolve por fazer Direito a fim de entrar para o poder judiciário, apesar de não ter afinidade alguma com a área. Esse indivíduo poderá se tornar um magistrado, porém, dificilmente desempenhará a função em harmonia com o **ser**, pois a profissão está desconectada com o seu propósito existencial.

Muitas pessoas utilizam o trabalho profissional para tentar ludibriar a vida, como se isso fosse possível, para ganhar o máximo possível, de preferência sem trabalhar. Acreditam que o mundo é dos espertos e que se não usarem da esperteza serão tolos como os demais. Dizem assim: "se pagar bem que mal tem". Essa é a filosofia das pessoas corruptas, em todas as áreas da sociedade, que vão desde um político profissional, que vai usar daquela profissão de político para subtrair dinheiro dos cofres públicos, da educação, da saúde, da segurança, etc., dinheiro que é para o bem coletivo, para que ele tenha cada vez mais; passa pelo empresário que altera a balança em um restaurante ou em uma panificadora para aumentar o peso em 50 gramas de cada cliente, que ele lesa cobrando um valor a mais; até um funcionário público que "mata" o tempo do trabalho conversando, fingindo que trabalha, chegando atrasado, etc.

Acreditam que com a sua esperteza estão ludibriando o governo, a sociedade, o povo, o cliente, etc. Será isso verdade? Será que aqueles que pensam assim estão ludibriando os outros ou estão ludibriando a eles mesmos? Na verdade, estão ludibriando a eles mesmos, porque não é possível enganar a Lei Divina.

Se usarmos o trabalho profissional, desconectado do **ser**, apenas para **ter** geraremos muitas dificuldades para nós mesmos, que mais cedo ou mais tarde retornarão para nós, pois o movimento de lesar o outro fica registrado em nossa consciência. Desviar um real ou um milhão de reais em qualquer área, seja da sociedade ou de um cliente, guardadas as devidas proporções, é um erro perante a Lei Divina de Amor. Para quem pensa assim não existe ética, não existe valor social. O que existe é o egoísmo e o egocentrismo que a pessoa chama de esperteza para ter bens a qualquer custo.

Isso não significa que adquirir bens seja um equívoco, pois não é a riqueza o problema, mas as atividades imorais e antiéticas para adquiri-las, mesmo que elas sejam legais do ponto de vista humano, como fabricar e comercializar armas, fumo, etc.

Muitos ainda acreditam que a aquisição de bens é algo pecaminoso. A questão a ser considerada não tem a ver com os bens materiais em si, mas com a forma de aquisição desses bens. Podemos conquistar bens, como um automóvel do ano, uma casa boa para morar, ter todos os bens que o dinheiro pode comprar desde que os recursos utilizados para a aquisição desses bens estejam ligados a uma ética, e aconteçam em harmonia com os valores do ser.

Portanto, poderemos sempre no trabalho profissional cultivar os ideais de autorrealização, plenitude, felicidade, bem-estar, espiritualidade e religiosidade, pois toda profissão que gera uma diferença positiva para a sociedade tem um sentido em nossa vida. Em qualquer área que formos convidados a servir, poderemos utilizar a nossa profissão como um instrumento de aprimoramento do **ser**, pois isso significa um convite divino para a nossa evolução.

Isso significa que em qualquer profissão, geradora de um benefício social, seja a ocupação de gari, que retira o lixo das ruas, até as mais altas posições da sociedade o objetivo é sempre o mesmo, o exercício de nossa inteligência e de nossa capacidade de servir, visando ao próprio aprimoramento e ao aprimoramento da coletividade.

Dentro desse raciocínio, se um gari, que subsisti retirando o lixo das cidades, não tiver consciência do significado de seu trabalho para toda a sociedade; se ele não estiver consciente de que o seu trabalho não serve apenas para ganhar o salário mirrado no final do mês, pode trabalhar revoltado, porque trabalha em uma situação difícil e ainda é mal remunerado. No entanto, se ele tomar consciência de que nesse gênero de serviço realiza algo fundamental para toda a sociedade, mas que ao mesmo tempo, está sendo convidado a desenvolver os valores transcendentes do **Ser**, como a humildade, por exemplo, exercerá a sua profissão com alegria e entusiasmo, independentemente do retorno financeiro que possa ter.

Por meio do **fazer,** somos convidados a sermos cocriadores com Deus. Isso só ocorrerá quando o **fazer** estiver em harmonia com o **ser**. Por isso é que muitos reclamam, referindo-se ao trabalho que realizam, argumentando que a vida é ingrata, pois destinou para elas uma atividade profissional a qual não veem sentido. Porém, será que esse é um problema da vida, ou é a postura que elas têm diante da vida?

Para exemplificar, o que é **ser *cocriador***, analisaremos um estudo realizado por um psicólogo especialista em desenvolvimento organizacional em um grande hospital que estava sendo construído em uma cidade.

O psicólogo pesquisava o comportamento dos trabalhadores na área de construção civil. Para isso ele focou o trabalho dos serventes de pedreiro. Perguntou para vários serventes, que estavam transportando tijolos em carrinho de mão de um lugar para outro, o que estavam fazendo. Um deles, ao ser perguntado, respondeu: – "Não está vendo que estou carregando tijolos"! Ele anotou na ficha: revoltado. Perguntou para vários outros a mesma coisa. Alguns disseram que estavam cumprindo as ordens do mestre de obras, transportando tijolos para os pedreiros construírem as paredes. Ele anotou na ficha: conformados. Notou que outro bem mais ágil, carregava mais tijolos e em um ritmo bem mais veloz do que os outros. Foi até ele e fez a mesma pergunta: – O que você está fazendo? O servente respondeu com os olhos brilhantes: – "Estou ajudando a construir um grande hospital". Ele anotou na ficha: idealista.

Nessa pesquisa percebe-se bem a diferença daqueles que veem um sentido em seu trabalho e se tornam idealistas, cocriadores com Deus, e a maioria que apenas se conforma com o que faz, e outros que se revoltam mesmo exercendo a mesma função.

A mesma pesquisa mostrou que os idealistas, dificilmente, continuam sendo serventes de pedreiro. Logo, já se tornam pedreiros, chegando a mestre de obra e até engenheiros civis. Os acomodados, que fazem o trabalho por obrigação, permanecem, às vezes, a vida toda na mesma função. Os revoltados são demitidos da função na primeira oportunidade.

Assim são os convites da vida. Em qualquer profissão que se tenha o respaldo da ética do amor poderemos agir tais quais: idealistas, conformados ou revoltados. Na primeira hipótese a vida é repleta de sentido, mesmo que ganhemos pouco. Nas outras, mesmo que a remuneração seja farta, a vida será destituída de sentido, pois uma área fundamental de nossa vida está desfocada do **Ser**.

Trabalho voluntário

O trabalho voluntário pode ser realizado por consciência, por vaidade ou por obrigação.

O trabalho voluntário realizado por consciência, por estar conectado com o **Ser**, gera o prazer de servir, de ser útil à comunidade. Nós o realizamos espontaneamente com amor, devido à autoconsciência do nosso dever social, fazendo sentido em nossa vida.

O trabalho voluntário por vaidade é para mostrar aos outros, como se a pessoa dissesse: "olha como eu sou caridosa". Uma atividade realizada assim não plenifica ninguém.

Muitos realizam a atividade voluntária por obrigação, especialmente em nosso movimento espírita. A pessoa sente-se obrigada a fazer o trabalho do bem porque do contrário não obtém a salvação, vai ficar obsidiada, porque senão vai para o umbral ou para as trevas. Quem acredita que tem a obrigação de fazer a caridade para ter a salvação sempre tem um 'senão', que a obriga a realizar o trabalho voluntário.

Esse movimento gera uma desconexão com o **ser**. A pessoa não se plenifica com o bem que realiza, porque o realiza por obrigação para evitar punições. Ela tenta realizar uma barganha com Deus, tentando se livrar de sanções que existem apenas em sua mente, sendo boazinha e fazendo o bem ao próximo, contudo o bem que ela realiza não lhe faz bem, pois é fruto de auto-obrigação.

Isso é completamente diferente da pessoa que faz o trabalho voluntário por conscientização. A consciência de ser útil ao próximo começa na consciência de ser útil a si mesmo, buscando-se os ideais de espiritualidade e religiosidade, aspecto que nos religa a Deus por amor e não por temor.

Quem age assim faz o trabalho no bem pelo prazer de ser útil. Se existem recompensas espirituais pelo trabalho que se realiza, a pessoa sabe que são apenas consequências.

Ela não pensa nas recompensas, nem em possíveis sanções, caso não faça o trabalho.

Quando o indivíduo está consciente, o trabalho voluntário no bem está em harmonia plena com o **ser.** Ele realiza as atividades de benemerência porque sabe e sente que é o melhor para a sua vida. A sua consciência lhe diz isso. O trabalho não lhe serve para se livrar de obsessores, nem para ir para a colônia "Nosso Lar" ou outra equivalente. O trabalho no bem, conforme estudamos na parábola dos dois filhos, serve para que o indivíduo volte à dignidade de onde se afastou, transmutando o conflito necessário causado pela indiferença, pelo egoísmo e pelo egocentrismo do passado.

Esportes, lazer e repouso

Toda atividade esportiva deve ter como objetivo a saúde do corpo físico e não uma plástica invejável, em detrimento da saúde, como acontece com as pessoas que exageram, fazendo exercícios físicos extenuantes, visando ao emagrecimento a qualquer custo, ou que tomam substâncias anabolizantes para formarem uma massa muscular invejável, com graves prejuízos ao corpo e, também à mente. Qualquer atividade esportiva, cujo objetivo seja a aquisição da saúde integral, estará sempre em harmonia com o **ser.**

O lazer e o repouso são necessários ao restabelecimento das atividades realizadas no trabalho. Existem muitas pessoas que, viciadas em trabalho, adoecem física e mentalmente, porque trabalham demais para obter bens supérfluos. Ao fazerem isso se desconectam do **ser** e se perturbam, resultando em um afastamento do trabalho, em razão das doenças que desenvolvem.

Por isso, é muito importante aliar o lazer ao repouso. O lazer deve ser fonte de revigoramento e não de estresse. Há pessoas que depois do trabalho buscam um lazer tão intenso, que acabam se cansando com o lazer que deveria revigorá-las. O repouso das atividades, que o lazer deveria proporcionar, termina por não ser suficiente para equilibrá-las do cansaço resultante do trabalho. Esse movimento acaba por trazer doenças físicas e emocionais que perturbarão o ser.

O fazedor de coisas

O fazedor de coisas é aquele que realiza muitas coisas sem sentido. Ele faz isso para tentar fugir de si mesmo. A pessoa não para quieta um só minuto. O tempo todo está fazendo algo. Se ela para sente-se mal, por não ter algo que fazer. Não tem tempo nem de fazer uma meditação, uma reflexão sobre a própria vida porque quase sempre está inquieta, fazendo coisas. Se parasse para pensar na utilidade daquilo que faz, perceberia que a maioria de suas atividades é inútil porque não está em harmonia com o **ser.**

Família e relacionamentos

O objetivo das atividades em família, com cônjuges, com amigos e demais pessoas de nosso relacionamento é aprendermos a amar com equilíbrio e desapego. Quando conseguirmos realizar essas ações em nível do **fazer** e do **ter**, de forma equilibrada, estaremos em harmonia com o **ser**.

Ao contrário, quando nos relacionamos com as pessoas de nossa família ou amigos com apego, como se fôssemos seus proprietários, estaremos desconectados com o **ser**, porque todo ser humano tem a sua individualidade e não tem dono. Deus nos criou para a independência individual. Ele é Pai de todos nós, mas nenhuma criatura é dona de outra. Quando agimos como donos de alguém, apegados à pessoa, nós sufocamos essa pessoa e desequilibramos a relação. Ficamos desconectados do **ser** que nós somos gerando muita perturbação para nós e para a pessoa de quem acreditamos ser os donos. Muitos dramas passionais em família acontecem em razão desse desequilíbrio.

Pior ainda do que o relacionamento com apego é o relacionamento com o intuito de usar as pessoas como objetos, em um processo de 'coisificação' do relacionamento.

Muitas pessoas relacionam-se com outras para usá-las sexualmente como objetos de prazer; para conseguir vantagens emocionais ou financeiras, etc. Usam-se as pessoas como se elas fossem objetos que se utiliza e quando não se quer mais ou quando há algum desgaste pelo uso, descarta-se. Essa 'coisificação' das relações humanas tem se tornado, infelizmente, muito comum.

Pessoas não são coisas que usamos e jogamos fora. Mesmo que queiramos fazer isso, existem consequências muito graves quando praticamos essa ação.

A razão de ser dos relacionamentos interpessoais, em quaisquer níveis que aconteçam, é aprimorar o **ser** e não ir contrário a ele, tanto o **ser** que nós somos quanto o **ser** que os outros são.

Espiritualidade, religiosidade e religião

Para entender como esses três aspectos importantes estão conectados com a essência da vida vamos, inicialmente, estudar os três conceitos.

Espiritualidade: todos nós somos seres espirituais e temos transitoriamente um corpo físico. A espiritualidade é algo inerente ao ser humano. Todos nós buscamos a nossa própria espiritualidade, a essência divina que somos, quer estejamos conscientes ou não disso. Todo ser humano busca um sentido para a sua vida, ato no qual reside a sua espiritualidade.

O vazio existencial, gerador das doenças de sentido, em que a civilização ocidental encontra-se imersa hoje, vem exatamente do distanciamento da própria espiritualidade, a que ela foi lançada pelo paradigma materialista.

Religiosidade: A palavra religiosidade origina-se do latim "religare", ato de ligar alguma coisa a algo que já foi ligado. A religiosidade é o ato que leva a criatura a se religar ao seu Criador.

É uma consequência da espiritualidade, pois na medida em que ocorre o encontro consigo mesmo em essência, com a sua Essência Divina, o ser humano sente a necessidade de se religar a Deus, Fonte da vida. É também um sentimento inato de todo ser humano, pois existe em todas as culturas, em todos os povos.

Por mais que o paradigma materialista tente sufocar este sentimento no ser humano, ele está sempre buscando se religar a Deus.

A religiosidade pode ou não fazer com que a pessoa busque uma religião. Existem pessoas que são avessas a uma religião formal, devido a decepções que tiveram em religiões tradicionais, apesar de cultivarem a espiritualidade e a religiosidade.

Religião: a religião é o ato de formalizar, através de um conjunto de práticas, a busca de uma ligação com algo transcendente.

As religiões deveriam cumprir o papel de desenvolver no ser humano a espiritualidade e a religiosidade, porém nem todas cumprem esse propósito. A grande maioria das religiões ainda está presa a dogmas, ao fanatismo, à superstição, ao pensamento mágico que faz com que o ser humano se afaste da própria essência e do Deus Cósmico, Energia Criadora do Universo.

Muitas religiões inclusive são regidas pelo próprio paradigma materialista, em nome do qual são criadas guerras "santas", morte e destruição de pessoas e ideais. Outras religiões transformaram-se em verdadeiros negócios, em que o dinheiro é o objetivo principal.

Por isso, muitas pessoas se afastam das religiões, por conterem um cerceamento da liberdade de discernir do ser humano.

No entanto, as verdadeiras religiões têm em sua essência a ideia real da espiritualidade e da religiosidade, indo ao encontro do **ser** e não contra ele.

Para vivermos com equilíbrio é necessário vivenciar a espiritualidade e a religiosidade em tudo que fazemos. Para isso, são necessários exercícios de desidentificação do ego, que nos afasta tanto da espiritualidade, quanto da religiosidade e nos identificarmos com o Ser Essencial que nós somos, e que nos aproxima do Essencial e de Deus.

Por isso, para viver verdadeiramente feliz, é fundamental que os valores horizontais estejam em harmonia com os valores do **ser**, especialmente a espiritualidade e a religiosidade porque, é através da espiritualidade e da religiosidade que acontece a própria busca do **ser** e de nosso Criador. Não deve ser um movimento que realizamos somente em momentos específicos, dentro de um templo religioso, ou nas horas em que costumamos fazer orações, mas em todos os momentos de nossa vida.

Finalizando, podemos concluir que para viver com inteireza, buscando a harmonia entre os valores horizontais e os verticais é preciso viver como Espíritos imortais. Existe o Espírito fora do corpo e o Espírito no corpo, que é o nosso caso.

Portanto, na condição de Espíritos encarnados, quanto mais fizermos para que a nossa vida no corpo seja próxima da vida do Espírito fora do corpo, melhor. É preciso diminuir a distância que existe entre a vida do Espírito imortal e a vida que levamos no corpo.

É fundamental tornar o nosso dia a dia mais espiritualizado. E, espiritualizar a vida é buscar cada vez mais sentido para as coisas materiais, porque não são as coisas que fazemos na condição de encarnados que nos geram problemas, mas o modo como nós fazemos essas coisas é que nos trazem dificuldades.

A espiritualização é um convite da vida a fim de que vejamos todas as atividades materiais de nosso dia a dia, de uma forma espiritualizada; quando buscamos o **ser** e não simplesmente o **fazer** e o **ter** coisas. Isso gera a suavidade e a leveza que desejamos para vivenciar uma vida repleta de sentido.

Capítulo 4

O Reino de Deus e o mundo

Observemos a figura 7. Trata-se de um esquema, onde simbolizamos o Reino de Deus e o mundo. Temos três esferas concêntricas. No núcleo existe o Ser Essencial, o nosso Cristo interno, sede do que Jesus chama o "Reino de Deus", pois é a Essência Divina que todos nós somos. É o nosso lado luz, bom e belo. A busca do "Reino de Deus" é o propósito de nossa existência, que acontece pelo desenvolvimento do Ser Essencial que somos.

Quando vivemos no mundo, buscando o "Reino de Deus", isto é, em conexão com o Ser Essencial, o **fazer** e o **ter** estarão em sintonia com o nosso propósito existencial. Ao contrário, quando vivemos para o mundo, simbolizado pela esfera externa, na qual o **fazer** e o **ter** estão desconectados do **ser**, não realizamos o propósito existencial.

FIG. 7 – O REINO E O MUNDO

Diante do mundo podemos agir de três formas diferentes:

MATERIALISTA: atitude na qual se nega o **Ser** para viver apenas o **fazer** e o **ter**. O indivíduo desconhece o "Reino de Deus". A vida da pessoa não tem sentido real, pois vive buscando apenas valores transitórios, transformando-se, transitoriamente, em um "**ter**" humano.

Representamos graficamente assim:

Fig. 8 – Visão materialista da vida

Pessoas com esse pensamento estão totalmente voltadas para fora de si mesmas. Elas vivem para o mundo, fazendo coisas para **ter**, como se fosse isso a finalidade maior da existência.

As pessoas de postura materialista não têm nenhum senso de propósito existencial ou de missão no mundo. Vivem, egoisticamente, para si e no máximo para os "seus". Para **ter**, fazem qualquer coisa, mesmo em detrimento dos outros. São aqueles que para **ter**, fazem falcatruas de todos os tipos para terem cada vez mais, como se elas não fossem seres humanos, mas **"teres"** humanos.

O indivíduo materialista usa o seu livre-arbítrio para fazer de conta que é um **"ter"** humano. Tal postura resulta em um vazio existencial muito grande. Mais cedo ou mais tarde, o indivíduo entrará em sofrimento devido a esse movimento, pois produzirá doenças existenciais graves para si mesmo.

O materialista é aquele que nega a sua essência. Nega o Espírito que é. Por isso se torna um **"ter"** humano. O **"ter"** humano existe em todas as classes sociais. Como acredita que ao morrer tudo acaba o que importa para ele é usufruir o máximo possível os "prazeres" da vida agora, conforme fez o filho mais novo na parábola estudada no capítulo 2. Para isso ele precisará de muito dinheiro.

Então, pensa: "Traficar drogas dá dinheiro? Muito. Mas, vai prejudicar outras pessoas? Que importância isso tem?". Ele não tem o mínimo pensamento ético. Se há pessoas que compram, ele vai simplesmente vender. O que importa é ficar rico. Mas, e as famílias que vão ser destruídas com essas drogas; os jovens, os pais que vão sofrer com as drogas que ele vai vender – isso nem passa pela mente dele. Ele simplesmente quer o valor do mundo. Ele vive para **ter**, não importa como.

Outro pensa: "Candidatar-se para um cargo público e depois que tiver o poder nas mãos desviar dinheiro público dá dinheiro? Muito! Mais do que traficar drogas. Mas, esse dinheiro que estarei desviando vai fazer falta no hospital? Vai fazer falta na escola? Que importância isso tem?".

Outro pensa: "Criar uma falsa religião, construir uma igreja, até com franquia, para ludibriar pessoas ingênuas e crédulas, dá dinheiro? Muito! Mais até do que corrupção na política. Mas, e as pessoas que vão ser enganadas na sua fé? E o uso do nome de Deus e de Jesus para ganhar dinheiro fácil? Que importância isso tem?".

Poderíamos preencher páginas e mais páginas com exemplos de pessoas que pensam como **"teres"** humanos. A nossa sociedade está repleta de seres humanos que se transformaram em **"teres"** humanos. Pessoas que não têm o mínimo de escrúpulos para "se dar bem na vida", aqueles que pensam em levar vantagem em tudo.

Todos nós podemos utilizar o nosso livre-arbítrio e viver assim? Sim, abafando a própria Lei de Deus presente em nossa consciência. Podemos viver como se fôssemos um ser material e não um ser espiritual. Por isso, não ter escrúpulos para ter cada vez mais é uma consequência óbvia do materialismo. Pensa o materialista: "Para que eu vou ter uma vida de privações para logo morrer e acabar tudo?". "Para que eu vou trabalhar para o bem comum se tudo acaba com a morte?". Então, por esse ponto de vista a ética não faz nenhum sentido, mesmo. Renunciar em prol do próximo não faz sentido algum.

Agora, perguntamos: A vida realmente é assim? Não. A vida espiritual é uma realidade e não uma ilusão. Não é algo que inventaram. Que Jesus ou Allan Kardec inventou para ludibriar pessoas. É uma realidade que está aí, inclusive sendo comprovada por muitos cientistas. Muitas teses espiritualistas e espíritas estão sendo comprovadas cientificamente, através de pesquisas, como as experiências de quase morte, que demonstram a sobrevivência do espírito; as pesquisas com a reencarnação, demonstrando não só a sobrevivência, mas também o retorno do espírito ao corpo; as pesquisas com a oração demonstrando o seu poder curativo. Poderíamos citar centenas de pesquisas belíssimas que comprovam a realidade espiritual. Só não enxerga quem não quer ver.

Esse desconhecimento proposital do Ser espiritual só vai acontecer com muita repressão da consciência, pois, conforme dito acima, trazemos nela própria a Lei de Deus ínsita em nós.

Porém, nenhum materialista escapa da própria consciência. Muitos fogem bloqueando-a através de impactos mentais para anestesiá-la. Usam drogas tais quais o álcool e os tranquilizantes, dentre outras, com o mesmo objetivo, tentando fugir da realidade. São pessoas dignas de muita compaixão, pois para fazer o que fazem tomam estimulantes pela manhã ao acordar, doses e mais doses de alcoólicos e outras drogas a fim de se manterem acordadas e, à noite, tomam tranquilizantes e soníferos para poderem dormir. São doentes existenciais muito graves que passarão por muito sofrimento para despertar a consciência.

Cedo ou tarde chegará o momento em que todo materialista irá se deparar com a dona da verdade: a morte do corpo, permanecendo vivo. O que acontecerá ao materialista quando chegar esse momento? Tudo o que ele fez retorna para si. Como bloquearam a mente com impactos mentais e drogas para fugir da consciência, o que ocorre? Ninguém sai ileso de uma situação como essa. Atitudes desse tipo produzem lesões graves no perispírito, mormente nos quatro "chacras" superiores, responsáveis pelo amor, conhecimento, intuição e pela transcendência, respectivamente.[13]

Por isso, eles ao retornarem ao mundo espiritual apresentam-se completamente alienados, hebetados, pois o tempo todo produziram impactos mentais para se alienar da

[13] Para mais detalhes sobre os *chakras* vide obra *Saúde Espiritual* de nossa autoria.

verdade. Muitas vezes começam a degenerar antes da morte do corpo, a partir de doenças degenerativas graves como o câncer, as autoimunes, o mal de Alzhimer, dentre outras. Muitos têm horror à morte, pois trazem na mente, intuitivamente, que o materialismo que cultivaram era uma ilusão e que continuarão vivos para se defrontarem com a própria consciência, extremamente maculada pelos atos praticados.

Após um período mais ou menos longo no mundo espiritual, colhendo aquilo que plantaram, eles necessitarão reencarnar de uma forma em que receberão de volta aquilo que cultivaram, para então iniciarem o processo de libertação das máculas que trazem em si mesmos. É a fase da carência do filho mais novo da parábola estudada anteriormente.

Como cultivaram muitos espinhos, ao agirem como **"teres"** humanos, sem escrúpulos, locupletando-se com o sofrimento causado a outras pessoas, toda essa energia de sofrimento retornará a eles mesmos, não apenas após a desencarnação, mas também quando reencarnarem para aprender, com esse sofrimento, a ***serem*** **seres humanos.**

Por isso quando vemos, por exemplo, aquelas cenas terríveis na televisão, em que um caminhão de lixo abarrotado despeja o seu conteúdo e as pessoas correm em direção ao lixo amontoado, atropelando umas as outras para catar algo para comer ou para vender; ou pessoas deitadas em corredores de hospitais, ou sendo mandadas embora sem nenhum atendimento; ou escolas ruindo e crianças sem oportunidade para estudar; ou qualquer uma das aparentes injustiças que ocorrem em nosso país, e em outros lugares do mundo, nós podemos ter, nesses momentos, visões diferentes do que está acontecendo no nosso planeta.

Se quem estiver assistindo à cena for materialista, provavelmente agirá com indiferença, uma vez que aquilo que está ocorrendo está longe dele, e ele não tem nada a ver com isso.

O espiritualista, não reencarnacionista, que observa a mesma cena poderá exclamar, blasfemando: – "Que absurdo! Como Deus permite uma coisa dessas. Que injustiça! Onde esse mundo vai parar!".

Agora vamos analisar a mesma situação dentro de uma visão espiritual profunda, reencarnacionista. Por que pessoas passam necessidade de alimentos, de cuidados mínimos quando estão doentes, de escola para se educarem, etc.? Por causa do egoísmo presente em nós mesmos que produzimos as injustiças sociais. Agora, podemos ter a certeza de que existem injustiças causadas pelo egoísmo, mas não existem injustiçados.

É uma injustiça humana, mas não é uma injustiça divina, porque não existe injustiça divina. Aqueles que sofrem o egoísmo estão recebendo de volta o egoísmo que plantaram. Se eles plantaram espinhos não é possível colher flores, é preciso colher os espinhos do desamor um a um, substituindo-os, posteriormente, pelo plantio das flores do amor, para somente após esse plantio de flores, colhê-las.

Analisemos mais profundamente essa questão que parece paradoxal. Isso tudo acontece por causa de Deus ou pelo fato do ser humano estar, ainda, envolvido com o mal, com o egoísmo? Se a justiça de Deus é feita de amor por que existem pessoas sofrendo tanto assim? Como é possível haver injustiças e não haver injustiçados? Admitir que haja pessoas injustiçadas seria admitir que Deus não é um Pai amoroso, como Jesus nos ensina, o que seria um contrassenso totalmente desconectado com a realidade.

O que acontece, por exemplo, com um político corrupto que desvia dinheiro de merenda escolar, destinado a crianças pobres de cidades miseráveis do nordeste brasileiro, que muitas vezes fazem a sua única refeição do dia na escola? Ao fazerem isso eles estão plantando os espinhos. Vai chegar um dia em que eles vão colher os espinhos plantados. É a lei da vida. Toda causa gerará um efeito. É Jesus que nos ensina isso em Mateus: 18,07 – **"Ai do mundo, por causa dos escândalos; porque é mister que venham escândalos, mas ai daquele homem por quem o escândalo vem".**

Portanto, aquela pessoa que passa fome e precisa comer as sobras do lixo está nessa situação porque existe dentro da Lei de Causa e Efeito um motivo justo. Ao passar fome ela está sendo convidada pelas Leis da Vida a aprender que atitudes egoístas como as que ela teve no passado, como desviar dinheiro público, não se faz. É convidada a aprender que todo movimento egoísta gera uma consequência muito grave para ela mesma.

Muitos argumentarão que esse aprendizado não é válido, pois a pessoa não lembra daquilo que foi. Esse pensamento acontece devido ao desconhecimento dos mecanismos das Leis de Causa e Efeito e da Reencarnação. O que ocorre é que em nível cerebral, de uma forma objetiva, a pessoa não se lembra, mas em nível espiritual, de uma forma subjetiva, ela sabe que não é injustiçada ao passar por tudo aquilo. Ao contrário do que muitos pensam o esquecimento do passado é uma bênção, mas nunca é total, pois em nível subconsciente a pessoa, caso não entre em revolta com a vida, sabe, intuitivamente, que aquilo por que está passando é justo.

Se tivéssemos a condição de perceber o que as pessoas que estão nos lixões, ou morrendo à míngua nos hospitais, ou nas escolas desestruturadas, etc. foram em outras existências, poderíamos ver políticos engravatados que desviaram fortunas imensas para paraísos fiscais, veríamos governadores, prefeitos, presidentes da república, senadores, deputados, vereadores, juízes corruptos, empresários corruptores, traficantes de luxo, falsos líderes religiosos, etc., vivenciando na pele aquilo que causaram aos outros.

Imaginemos que, além do fato de sofrerem tudo isso, essas pessoas se lembrassem do luxo, em detalhes, que ostentaram hauridos não à custa dos seus esforços, mas por suas falcatruas várias e desvio de recursos destinados ao bem de toda a sociedade. Se isso acontecesse, suas vidas seriam um suplício total, pois viveriam entre a humilhação e o remorso. Por isso, tenhamos sempre a certeza de que as Leis Divinas são sábias e generosas, pois nos convidam a nos conciliarmos com a nossa própria consciência de forma, apesar de difícil, totalmente possível.

Portanto, toda pessoa que está em uma situação difícil de miséria econômica está sendo convidada, pelos mecanismos da Vida, a aprender a ser mais humana, carecendo daquilo que ela abusou no passado. É Jesus que nos ensina essa verdade em Mateus: 18,8: – **"Portanto, se a tua mão**

ou o teu pé te escandalizar, corta-o e atira-o para longe de ti; melhor te é entrar na vida coxo, ou aleijado, do que, tendo duas mãos ou dois pés, seres lançado no fogo eterno".

Todas as vezes que abusarmos de um órgão de nosso corpo, da inteligência, fazendo falcatruas, ou de bens que não nos pertencem por mérito próprio, etc., como estamos analisando, voltaremos à vida em uma nova encarnação, carentes daquilo que esbanjamos para, com isso, aprendermos a valorizar os dons da vida.

Porém, nem todos aprendem, pois muitos se revoltam por estarem nessas condições, agravando ainda mais os seus débitos perante as Leis Divinas. Como não é possível fugir delas, voltarão em condições cada vez mais difíceis até que o desamor, o orgulho, o egoísmo e o egocentrismo sejam transformados em amor, mansidão e humildade de coração. Desse modo, somente nos libertaremos das dificuldades da vida quando assumirmos a condição de aprendizes.

E o que todos nós temos a ver com tudo isso? Poderíamos pensar de forma simplista que isso seja um castigo divino, uma punição pelos que eles fizeram e que, portanto, não devemos fazer coisa alguma para minorar a dor de quem passa por uma situação assim. Outros argumentarão que isso nunca terá fim, pois os que estão plantando espinhos hoje, amanhã estarão colhendo e vice-versa. Essas ideias têm a ver com uma noção de Lei de Causa e Efeito rígida que não é a proposta divina para todos nós.

Deus não nos castiga. Não existe esse movimento de punição nas Leis Divinas. O que existe são processos de educação e reeducação. A educação se faz pelo amor e a reeducação se faz pela dor que acontece como foi visto anteriormente na parábola dos dois filhos, todas as vezes que nos afastamos do amor.

Situações como essas causadas pelo egoísmo são muito educativas para todos, sejam os diretamente envolvidos, que sofrem na pele aquilo que fizeram, assim também aqueles de nós que não estamos passando por expiações desse tipo e podemos exercitar a caridade e o altruísmo, minorando o sofrimento daqueles que estão nessas condições.

Quando minoramos a dor do nosso semelhante realizamos uma ação de amor, que é um dever de nossa própria consciência, como espíritos imortais que somos. Principalmente, quando, juntamente com os recursos materiais, oferecermos a essas criaturas o pão espiritual que vai convidá-las a se reeducarem, entendendo o motivo da dor que estão momentaneamente passando para retornarem à educação pelo amor. Se o indivíduo consegue se educar, suplanta esse mecanismo de plantio e colheita de espinhos.

Essas situações servem, ainda, para aqueles que hoje estão em provação ocupando cargos de relevo na sociedade, tendo oportunidade de utilizar a sua inteligência e capacidade de liderança para o bem coletivo e se desviando do caminho reto gerando esses sofrimentos, subtraindo os recursos públicos, vivendo nababescamente, pois ao virem o sofrimento dos outros, têm a oportunidade de refletir sobre o que estão fazendo, pois a consciência, mesmo bloqueada, é uma luz que nunca se apaga, está sempre alertando. Essas pessoas poderão, dessa forma, tomar consciência e mudar de rumo ou prosseguir plantando os espinhos que colherão no futuro.

De qualquer maneira, seja na expiação ou na provação, o objetivo da reencarnação é eminentemente educativo para que, gradativamente, libertemo-nos dos sentimentos de egoísmo e de orgulho, duas chagas que geram essas distorções sociais causadas pelo materialismo, que aos poucos está sendo liberado de nosso planeta, na regeneração que se aproxima para todos nós.

Estudemos a seguir um caso verídico denominado "Culpa e Reabilitação", extraído do livro *Depois da Vida*, de Divaldo Franco, para exemplificar aqueles que vivem de forma materialista.

> A consciência culpada é o mais impenitente algoz de que se tem notícia.
>
> O verdugo, que acoima e persegue sua vítima, por mais lhe esquadrinha a alma com os instrumentos da maldade, que a mutilam, não pode alcançar o penitente em muitas circunstâncias.
>
> A consciência da culpa produz um ácido que queima e requeima interiormente, retirando por completo a paz do calceta enganador.
>
> Por isso, a Divindade não tem pressa em mudar as estruturas das leis, nem o comportamento humano, permitindo que essas realizações se operem a tempo e hora próprios, e no seu devido lugar. Isto porque, essas leis estabelecidas na consciência humana erguem o tribunal que julga delitos e aplica penas, jamais ludibriado pela mais astuta inteligência, que se lhe submete

quando começa a fase de reabilitação.

Amealhei, na Terra, muitos bens, acreditando na felicidade endinheirada.

Alucinado pela cobiça, e porque houvesse caminhado pelas estradas da pobreza, permiti que a volúpia da posse me dominasse, pisando quantos se acercavam de mim, vencido pela fúria da desmedida cobiça.

Artimanhas e indignidades sem nome foram articuladas pela minha mente febril, onde eu substituía o valor da amizade pelo dinheiro, descendo ao cúmulo da negação de Deus, diante das arbitrariedades cometidas.

Reunidas as primeiras moedas e conseguidas as primeiras propriedades, prossegui, bestial, na voragem de tudo possuir, arrebatando os recursos dos ingênuos pelos meios mais ignóbeis a que recorri.

Entre as urdiduras mais perversas, criei a técnica de emprestar dinheiro a altos juros, aceitando um papel firmado pela minha vítima em potencial, cuja importância a resgatar eu sempre adulterava.

Chegado o dia do resgate do compromisso, ao invés de devolver o documento, amassava-o com ar indiferente e atirava-o à cesta de papéis, deixando o amigo com a falsa sensação de quitamento. Tão logo este saía, tomava do documento, passava-lhe o ferro de engomar e mandava-o a cobrança...

Arruinei homens probos e desferi golpes de insânia perversa em mulheres honradas, que me amaldiçoaram através das futuras gerações.

Consegui, por esse meio, imensa fortuna em moedas;

fiz-me latifundiário de terras que eu desconhecia; no entanto, não logrei a paz, não consegui a felicidade...
Perdi o interesse pelo amor e vivi detestado por uns, bajulado por outros, aos quais eu menosprezava.
Tive o que o dinheiro compra, entretanto, não comprei a vida eterna.
O corpo cansou-se, o tempo o consumiu numa morte infeliz.
Se a vida me foi azinhavrada com o sabor das moedas, a morte se me fez a mais dantesca desgraça que se possa imaginar.
Quanto mais eu buscava acabar, esquecer, apagar a consciência, mais esta se me acendia, fazendo-se lúcida e, utilizando-se de um cinemascópio estranho, projetava-me com inexplicável riqueza de detalhes, os crimes hediondos que eu perpetrara...
Arrojei-me sob as rodas dos veículos em movimento, em vãs tentativas de aniquilamento, porém dali saía, somando às dores morais as aflições físicas decorrentes do gesto tresloucado e inútil.
Atirei-me do alto de edifícios, lancei-me ao mar, em fornalhas em chamas, fugindo da vida que permanecia, mas fazendo que a vida triunfasse sobre as minhas sortidas, cada vez mais acrescidas dos novos desvarios...
Foi nesse transe, cujo tempo não posso avaliar, que me deparei com aqueles a quem eu levara ao suicídio, ao homicídio, à desgraça...
Apareciam-me repelentes, horrendos, em chusmas que me exauriram as forças gastas até que se apossa-

ram de mim, levando-me às terras que lhes tomara, aos bens que lhes furtara...

Não há como descrever-se a desdita superlativa.

Alguns transvestiram-se de entidades demoníacas e arrastaram-me a regiões infernais onde me retiveram por longos decênios, que não tenho como relatar.

Conheci de perto o inferno mitológico, nas carnes da alma.

Não posso avaliar o tempo em que tudo isto sucedeu, até quando fui libertado, passando para outras paisagens igualmente desconcertantes.

Se tinha sede e me arrojava a um córrego de água transparente, esta se transformava em moedas tilintantes que eu recolhia e arrojava fora porque sem valor para a circunstância.

Diante de qualquer alimento eu o tocava e este se convertia, ante os meus olhos, em notas bancárias e papéis de recibo que me eram familiares.

A desdita de Midas, que tudo quanto tocava se convertia em ouro, estava viva em mim, repetindo-se a cada instante.

A fome, a sede, o frio, as doenças, consumiam-me...

Eu não tinha idéia do em que me transformara.

Passei, enfraquecido, a rastejar, nauseante e perseguido pelos meus desafetos.

Permaneço ainda nas furnas do desespero, confundido com os réprobos, os malsinados.

Para cúmulo dos meus infortúnios, a minha consciência anui com todos estes sofrimentos, que reconheço merecer.

Os meus herdeiros se olvidaram de mim.
Nenhuma prece deles projeta luz no poço das minhas desventuras.
Por fim, volvi à infância e recordei-me de minha mãe ensinando-me a orar. Compreendi que ela me buscava, apesar de não a poder detectar.
Comecei a orar em desespero no início, tornando-se-me um hábito depois, refrigerando-me a turbulenta situação.
Agora descubro que diversos dos meus herdeiros, que me projetam dardos de ódio e malbaratam o que reuni, são os antigos donos dos bens que usurpara e tornaram à sua legítima posse...
Eu prossigo resgatando, a consciência severa culpando-me, ora confiando em Deus, que me há de por termos aos superlativos desatinos transformados em ruína na qual me crucifico na busca da reabilitação. M.[14]

ESPIRITUALISTA-MATERIALISTA: o espiritualismo-materialista por mais paradoxal que seja é uma realidade. É a atitude na qual já admitimos a existência da vida espiritual, mas queremos vivê-la juntamente com as coisas do mundo.

Há uma separação entre o valor permanente do **Ser** e os valores transitórios do **fazer** e do **ter**, resultando em uma postura fragmentada, pois se separa o espiritual do material. Normalmente, para quem vive assim, o espiritual diz respeito a questões puramente religiosas e o restante é tudo

[14] Divaldo P. FRANCO, *Depois da vida*, pág. 49 a 51.

material, sem vínculo com o espiritual.

Isso gera um Ser dicotômico, que se sabe espiritual, mas que vive apenas materialmente e esporadicamente, busca realizar as suas "obrigações" espirituais. Deseja servir a dois senhores, realizando exatamente o oposto do que Jesus nos recomenda em Mateus: 6,24 – **"Ninguém pode servir a dois senhores; porque ou há de odiar um e amar o outro, ou se dedicará a um e desprezará o outro. Não podeis servir a Deus e a Mamon".**

Aqueles que vivem de forma materialista, mas são espiritualistas, pois já sabem que são seres espirituais momentaneamente no mundo, também não têm senso de propósito ou missão. Há uma tendência a viverem egoisticamente, mas, de vez em quando, buscam ter atitudes "altruísticas" para aliviarem as próprias consciências pelo tipo de vida que levam.

Já conseguem ter algum escrúpulo, mas como ainda separam o material do espiritual, tendem também a recorrer às falcatruas para ter, não tão explícitas como as dos puramente materialistas, resultado da dicotomia entre **Ser** e **ter**.

Como não se pode servir a dois senhores como nos ensina Jesus, cedo ou tarde, essas pessoas também entrarão em crise existencial, em razão dessa postura dicotômica, produzindo sofrimento para si mesmas.

Representamos graficamente assim:

Fig. 9 – Visão espiritualista-materialista da vida

Aprofundemos mais essa questão para entendermos as razões profundas que levam o indivíduo a essa postura espiritualista-materialista da vida.

O espiritualista-materialista já se aceita um Espírito, ou alma. Ele já sabe que existe um "Reino de Deus", mas essa noção é ainda muito débil e muito distante de sua realidade, pois ele não a sente no coração. Como o mundo é mais concreto e está à sua disposição, ele tende a investir nele.

Como o "Reino de Deus" para ele ainda é um tanto abstrato, ele pensa ser possível vivê-lo com um pé no mundo. Então, passa a viver no mundo, buscando os seus prazeres, vivendo para o material, e quando tem algum problema corre no templo religioso de sua predileção, seja uma igreja católica ou evangélica, um centro espírita, um templo budista, etc., a fim de solucionar o problema. Lá ele reza pedindo a Deus que resolva o seu problema, faz promessas, toma passes, faz doações, etc. Acredita que ao adotar essas práticas, Deus solícito vai resolver os seus problemas a fim de que ele possa continuar vivendo no mundo.

Portanto, ele ainda tem uma visão extremamente materialista da vida. Já existe um avanço em relação ao materialista puro, porque já possui uma noção do **ser**, mas ainda se comporta como se fosse um **"ter"** humano. Ele já sabe que é um ser espiritual, mas como não sente isso em profundidade, vive no mundo e para o mundo.

A pessoa que cultiva o espiritualismo-materialista acredita que o espiritual só tem relação com a religião e como possui uma visão humanizada de Deus, um Ser que está longe de nós, crê ser necessário ser temente a esse Ser distante, que pune uns e privilegia outros de acordo com a Sua vontade, por isso ela busca a religião para fazer barganhas com Deus, para obter privilégios.

Por esse prisma, enquanto a pessoa estiver bem nem se lembra de Deus, vivendo para o mundo, mas na hora que surge qualquer problema ela corre para a igreja, para o centro espírita, enfim para o templo de sua religião visando ao encontro com Deus, para resolver aquele problema.

Existem outros que, para garantir os privilégios, frequentam regularmente o seu templo religioso pelo menos uma vez por semana, como uma obrigação a cumprir, e não somente quando têm problemas, porém com a mesma postura de buscar as benesses Divinas para a solução de seus males, continuando a viver para o mundo.

Essa postura refere-se ao conceito de Deus humanizado, conforme dito acima, que reflete os mesmos defeitos da Humanidade, que se encoleriza com os que não o temem, punindo-os e privilegia aqueles que cumprem uma obrigação formal de adorá-lo de uma forma específica, conforme a religião que professam.

Por isso é necessário desumanizar Deus. Deus não é um ser distanciado da Humanidade. Ele é uma Energia Amorosa e Criadora que organiza o Universo, na qual este está imerso. Portanto, estamos mergulhados nessa Grande Luz que chamamos Deus, que está constantemente em comunhão conosco, em qualquer lugar, como nos ensina Jesus em João: 4,24 – **"Deus é Espírito, e importa que os que o adoram o adorem em Espírito e em verdade".**

Porém, nem sempre estamos em comunhão com Deus. Essa comunhão é conseguida através da comunhão com a nossa própria essência divina que acontece em todos os lugares e não apenas em um templo particular, como também nos ensina Jesus em João: 4,21-23 – **"Disse-lhe Jesus: Mulher, crê-me que a hora vem, em que nem neste monte nem em Jesuralém adorareis o Pai. Mas a hora vem, e agora é, em que os verdadeiros adoradores adorarão o Pai em Espírito e em verdade; porque o Pai procura a tais que assim o adorem".**

Deus é, portanto, a fonte de amor e poder do Universo, a Energia Criadora em que estamos mergulhados. Todos nós, sem exceção. Então, Deus não está distante de nós. Deus está conosco o tempo inteiro.

Por isso, se acreditarmos que praticando ações contrárias à Lei de Amor, vivendo para o mundo e depois irmos às chamadas "casas" de Deus para rezar, confessar, fazer promessas, dar esmolas, pagar o dízimo, tomar passes, fazer assistencialismo, etc., nós conseguiremos a remissão de nossos pecados, simplesmente pelas práticas exteriores em detrimento das práticas interiores, estaremos apenas nos enganando em uma prática espiritualista-materialista que nos ajudará muito pouco.

O nosso intuito não é o de criticar as práticas religiosas. O que estamos falando é desse movimento, que parece ser religioso, mas não o é, porque está desprovido de religiosidade, pois nos afasta da espiritualidade que existe em nós. É fundamental cultivar a verdadeira religiosidade, buscando o "Reino de Deus", que se encontra dentro de nós. Qualquer prática religiosa deve ser feita com unção e religiosidade e não como uma prática que nos alivia, falsamente, a consciência.

Quando buscamos o equilíbrio entre espiritualidade – que é o ato de buscar as práticas interiores que nos encaminham ao amor, ao bem, ao bom, ao belo – e a religiosidade – que é o ato de nos reconectar com Deus, para recebermos o Seu fluxo de amor e vida – geramos saúde espiritual para nós mesmos.

Estudemos a seguir um caso verídico, extraído do livro *Tormentos da Obsessão*, psicografia de Divaldo P. Franco/ Manoel Philomeno de Miranda, para exemplificar o comportamento daqueles que vivem de forma espiritualista-materialista.

Trata-se do caso do irmão Evaldo, que foi militante dentro do movimento espírita; tinha consciência plena da realidade espiritual e de Deus, mas mesmo assim se tornou um **"ter"** humano e, por consciência de culpa, mergulhou em um processo auto-obsessivo criando um casulo, onde se refugiou, tentando fugir de si mesmo.

Vejamos a sua história relatada por um psiquiatra do Hospital Esperança, chamado Dr. Alberto Messier a Manoel Philomeno de Miranda:

> [...] A mente – sussurrou o esculápio, discretamente – produz material conforme a sua própria vontade, criando asas para a ascensão ou presídio para a escravidão. O irmão Evaldo é prisioneiro de si mesmo. Não anotamos mais graves anomalias no perispírito, no entanto, encapsulou-se em fortes teias mentais degenerativas que o vêm retendo desde quando se encontrava na Terra, interrompendo-lhe a bênção da reencarnação. Oculto nessa triste forma por vários anos após a viagem de retorno, soa-lhe o momento de iniciar-se o seu processo de libertação, para o despertar da consciência em torno das responsabilidades que lhe dizem respeito. A vida é incorruptível e jamais pode ter o seu curso alterado indefinidamente. A inefável misericórdia do Pai está sempre vigilante, a fim de que todos os Seus filhos alcancemos a plenitude que nos está destinada. [...].

[...] Toda vez que a mente se fixa em algo emite vibrações que se transformam em força correspondente, logrando atender ao direcionamento que lhe é proposto. No caso do nosso irmão Evaldo, sua consciência de culpa elaborou um recinto escuro para ocultar a miséria a que se entregou, enquanto deambulava no proscênio terrestre na sua anterior e mais recente jornada. [...] Nosso amigo partiu do mundo espiritual com definidos compromissos na área político-religiosa a que era afeito anteriormente e que não soube corresponder com o valor que deveria ser aplicado. Fracassou várias vezes, gerando situações penosas na fé religiosa abraçada, assim como no campo da política, que submeteu às paixões do dogmatismo e dos interesses inconfessáveis que o caracterizaram. Muito comprometido espiritualmente, preparou-se para novo cometimento e recebeu o aval dos seus Guias espirituais. Por mais de um decênio equipou-se de conhecimento e de valores éticos para atuar com elevação nos dois delicados campos. Quando se acreditou em condições de reencetar a jornada, foi conduzido a nobre lar espírita, sob a tutela de mãe generosa que lhe era anjo protetor, a fim de que o **Consolador** lhe facultasse compreender os compromissos assumidos e a **Lei de Causa e Efeito** o despertasse para o desempenho sagrado da tarefa. Desde cedo, participou com a genitora dos estudos evangélicos no lar, em momentosos encontros de meditação e de intercâmbio, quando os Amigos espirituais inspiravam as conversações e direcionavam os interesses da família. Participou das aulas de evangelização da época, indevidamente denominadas de catecismo espírita, e mais tarde tomou parte dos primeiros grupos de mocidades espíritas que se iniciavam no Brasil. Conseguiu destacar-se, exercendo liderança, porquanto, para tanto, fora preparado, enquanto simultaneamente estudava direito. Bacharelando-se, teve a felicidade de ser convidado por hábil advogado político que o iniciou na difícil conjuntura administrativa do país, na qual conseguiu amealhar expressivos recursos financeiros. Logo depois, consorciou-se com excelente companheira, e enquanto o triunfo lhe batia às portas, permitia-se o distanciamento da fé espírita. É claro que se justificava como sendo vítima da falta de tempo, escamoteando o constrangimento que sentia de declarar-se espiritista nas altas rodas, nas quais agora se movimentava entre luxos e preconceitos mesquinhos.

O tempo é inexorável, e todos passam por ele, que permanece inalterado. O Dr. Evaldo, então proeminente político, esqueceu-se completamente dos compromissos espirituais. No auge do poder, tomado pela avidez desvairada para o enriquecimento ilícito, acumpliciou-se com amigos envolvidos em corrupção e, em breve, derrapou em terríveis enovelamentos morais, desviando verbas que deveriam atender necessidades urgentes e salvar vidas, transferindo-as para contas fora do país nos denominados paraísos fiscais. Nesse interregno, face aos descalabros íntimos que não ficaram apenas na área dos comprometimentos políticos, mas também sexuais, vinculou a antigos inimigos desencarnados que o espreitavam, começando a **hospedar** psiquicamente hábil manipulador das forças mentais que passou a comandá-lo vagarosamente até apropriar-se-lhe com relativa facilidade do seu mundo psíquico.

Quando menos esperava, a esposa sofrida ante a conduta irregular do marido com a qual não concordava e o admoestava sempre que possível, foi acometida de um carcinoma que a vitimou em rápidos meses. Surpreendido pelo infausto acontecimento, não tendo procriado, o insensato começou a atormentar-se, dando campo à consciência de culpa e procurando fugir de si mesmo. Os valores amealhados de nada lhe valeram, porque não podiam minimizar os conflitos íntimos e a sensação de que a morte da mulher em condições muito dolorosas de certo modo era uma punição à sua conduta irregular, como se a Divindade se utilizasse de mecanismos mórbidos quais os dessa natureza.

Lentamente afastou-se da agitada vida mundana sob a justificativa da viuvez, e apesar de insistentemente convidado pelos comparsas, refugiou-se em pertinaz depressão que passou a consumir-lhe as metas existenciais, a razão de viver, qualquer objetivo que o pudesse arrancar da penosa situação.

A mãezinha, ora desencarnada, envidou esforços exaustivos para arrancá-lo da situação pungente a que se entregou, mas tudo redundou inútil, porque o torturado começou a perceber quanto a sua avidez contribuíra para a miséria de muitos seres humanos necessitados, os quais deveria defender e amparar através dos mecanismos políticos e da fé espírita que anteriormente esposara.

Tentando ocultar o drama, o seu inconsciente começou a criar a teia vibratória que terminou por envolvê-lo então sob o direcionamento do adversário espiritual. Três anos transcorridos após a desencarnação da senhora, sucumbiu em triste ruína humana, negandose à alimentação e ao tratamento especializado, que embora sob imposição vigorosa de outros familiares não logrou arrancá-lo do abismo da consciência culpada ao qual se atirara com sofreguidão.

[...] Em deplorável estado mental e físico desencarnou, jugulado à estranha obsessão por ressonância dos pensamentos perversos do inimigo que aguardou no pórtico da imortalidade, encarcerando-o nos fios vigorosos da própria urdidura mental e recambiando-o para o escuso recinto onde se homiziava. Ali sob hipnose cruel, vergastou-o por mais de um decênio, após o que foi transferido para nosso Hospital por intercessão da mãezinha abnegada, aqui demorando-se até este momento, quando começa o seu processo de despertamento para o encontro lúcido com a realidade.

– Deus, meu! – exclamei – emocionado. Quanto a aprender e a corrigir no mundo íntimo!

Alberto, sempre silencioso, aduziu com jovialidade:

– Não é por outra razão que o Mestre nos informou que **mais será pedido àquele a quem mais foi dado.** De fato, quem possui a luz embutida na mente e no coração não pode andar em trevas, semear escuridão, para tanto, apagando a própria claridade íntima, pois que, sem qualquer dúvida, voltará a percorrer o mesmo caminho e o defrontará conforme o haja deixado.[15]

ESSENCIALMENTE ESPIRITUALISTA: atitude na qual exercitamos constantemente a busca do "Reino de Deus" em nível do **Ser,** mesmo vivendo no mundo. Não há separação entre o valor permanente do **Ser** e os valores transitórios do **fazer** e do **ter**, resultando em uma postura de inteireza, pois toda vida material está em harmonia com a espiritual.

Quem tem essa postura sabe que o espiritual não diz respeito somente a questões religiosas, mas a toda a vida do **Ser**, que vive no mundo, sabendo que está nele de forma transitória, e que todas as suas ações devem ser realizadas em função do aprimoramento do **Ser** que ele é. Gera o verdadeiro Ser Humano que está no mundo sem ser do mundo, pois está sempre buscando o "Reino de Deus e a Sua Justiça", e sabe e sente que tudo o que faz e tem é oferecido por acréscimo a essa postura.

Representamos graficamente assim:

[15] Divaldo P. FRANCO, *Tormentos da obsessão*, pág. 297,303-307.

FIG. 10 – VISÃO ESPIRITUALISTA ESSENCIAL DA VIDA

Os essencialmente espiritualistas buscam de todas as formas possíveis vivenciarem o "Reino de Deus e a sua justiça". É claro que não são pessoas perfeitas, mas buscam se aperfeiçoar sempre, tendo como princípio desenvolver o propósito de suas existências, aprimorando-se interiormente, para realizar a parte que lhes cabe na formação de um mundo melhor. Têm plena consciência de suas missões no mundo.

Somente esses são os que conseguem viver com inteireza e amor e realizar o seu plano existencial.

É a busca da espiritualidade essencial, que estará se desdobrando no mundo em nossa missão pessoal, nas várias áreas de atuação, com seus objetivos e metas, conforme Jesus recomenda em Mateus: 16,27 – **"A cada um segundo as suas obras".**

Analisemos com maior profundidade essa questão de estarmos reencarnados no mundo, mas sem sermos do mundo. Essa é a realidade de todos nós encarnados. Somos espíritos imortais, transitoriamente vivendo em um mundo físico. É fundamental para a nossa sanidade espiritual, mental e física que vivamos como Espíritos imortais.

É essa a maior provação para todos nós, os encarnados, porque enquanto no mundo espiritual iremos conviver com pessoas que pensam como nós, por uma questão de afinidade vibratória, no mundo físico a convivência é com os diferentes. No mundo espiritual os bons agrupam-se em colônias nas altas esferas, os medianos em regiões intermediárias e os maus em regiões menos felizes do planeta.

Já no mundo físico não é assim, pois teremos pessoas boas, de condição mediana e que ainda se comprazem no mal, convivendo umas ao lado das outras. Por isso, viver de forma, essencialmente, espiritualista ainda é muito difícil neste planeta. Mas é o nosso grande desafio. Todos nós somos convidados a viver assim, a estarmos em um mundo onde muitos ainda agem como **"teres"** humanos, extremamente doentes, sem nos contaminarmos com a doença do materialismo.

Ser mais um materialista, mesmo se dizendo espiritualista neste mundo é fácil. É semelhante a nadar em um rio a favor da correnteza, pois basta largar o corpo na correnteza, para, sem esforço algum se tornar um **"ter"** humano. Agora, para ser um **Ser** humano que está neste mundo, buscando o "Reino de Deus e a Sua Justiça", vai ser necessário nadar contra a correnteza. Por isso, é muito difícil tornar-se um **Ser** Humano e grande quantidade de pessoas preparadas no mundo espiritual para reencarnar sucumbem, como ocorreu no caso do irmão Evaldo, estudado acima.

Em virtude disso é que devemos viver no mundo material sempre buscando o espiritual. Termos uma profissão, mas usá-la para o nosso equilíbrio emocional e espiritual em primeiro lugar, e não como muitos fazem ao usar a profissão com o objetivo principal de ganhar dinheiro, ainda que seja prejudicando outras pessoas. Ou mesmo que não prejudique os outros, apenas ele mesmo, por exemplo, trabalhando demais, 12, 14 horas por dia, sacrificando a si e a sua convivência social e familiar para ter cada vez mais dinheiro. É uma postura que não se coaduna com a espiritualidade essencial.

Pior ainda aquele que faz falcatruas, mesmo que pequenas, para ganhar mais dinheiro, considerando-se uma pessoa que já se concebe como Ser espiritual e aceita que existe um Deus que não é vingador, mas amoroso. Com essa atitude quer um "jeitinho" de viver no mundo, e ao mesmo tempo buscar o "Reino de Deus". Será que isso é possível? Com certeza não.

Já a pessoa que busca o "Reino de Deus" pode ter uma profissão rentável economicamente, que oportunize a ela comprar uma mansão, um carro zero quilômetro, dentre outras coisas? Claro que sim. Ela pode ter tudo isso, mas que não seja em detrimento de seu próximo, nem de sua saúde espiritual.

Para viver de forma espiritualista essencial é preciso viver de forma que o universo material seja apenas uma consequência, um meio para evoluir, pois dependendo da forma como nos conduzirmos no mundo é que iremos garantir a aquisição desse ideal.

Portanto, a pessoa que busca o "Reino de Deus e a Sua Justiça" não é uma pessoa perfeita, mas alguém em aperfeiçoamento. Se ela percebe em si uma tendência a viver o mundo, busca se libertar dessa tentação para ir ao encontro do "Reino". Se ela percebe, por exemplo, que traz tendências ao furto, ao sexo desequilibrado, ao uso de má-fé com as pessoas, a fim de levar vantagem no trabalho, enfim qualquer tendência negativa que lhe remete ao mundo, faz esforços para transformar essa tendência, porque já sabe que isso é o melhor para ela na condição de ser espiritual que é; buscando fazer exercícios para sentir no coração aquilo que já sabe.

Esses exercícios contínuos de transformação constituem-se processo gradativo, em que buscamos desenvolver o "Reino de Deus", vivendo no mundo, pois não adianta fugirmos do mundo, já que é fundamental servir a Deus no mundo. Esse é o maior aprendizado que a reencarnação nos oportuniza.

O propósito maior de reencarnarmos em um corpo material é a libertação da matéria. Estamos aqui não para viver os prazeres sensuais, mas para nos aprimorarmos, buscando o prazer de amar o próximo como a nós mesmos, sendo servidores úteis, até que não precisemos mais reencarnar neste mundo.

Estudemos a seguir um caso verídico denominado "Provações Abençoadas", extraído do livro *Depois da Vida* para exemplificar a postura daqueles que vivem de forma essencialmente espiritualista.

A vida, na Terra, considerada do ponto de vista espiritual, como aliás deverá ser, muda completamente o significado que vem apresentando.

Aceito o Espírito como fator causal, o corpo e a vida fisiológica passam a ser inevitáveis resultados da sua ação.

Assim considerado, o sofrimento altera o seu conteúdo e as conjunturas, alegria e dor, prazer e desconforto modificam completamente a forma pela qual têm sido aceitos.

Partindo-se da premissa de que o Espírito é o agente gerador, portanto, preexistente ao corpo e procedente de uma realidade transcendental para onde voltará, todas as ocorrências, na área da matéria, constituem lições transitórias com efeito que promoverá a felicidade sem jaça ou o arrependimento tardio.

Graças a este comportamento, as coisas no mundo assumem a importância e adornam-se do valor que nós lhes atribuímos.

Um câncer, para um espírito resoluto e confiante, pode ser encarado como uma bênção, enquanto pequeninas alfinetadas, para um temperamento precipitado, que se assinala pelo desequilíbrio interior e pela ingratidão às divinas leis, representam verdadeiro infortúnio que leva à loucura.

A gama dos padecimentos humanos tem variantes que são difíceis de estabelecidas. O que para alguém é de vital importância, para outrem de nenhum valor se reveste.

Para estes a doença é maldição e a saúde é dádiva de Deus; para aqueles a saúde tem sido veículo de corrupção e de desar, enquanto ainda outros consideram a doença como cadinho purificador, graças ao qual anelam pela libertação.

Experimentei, de perto, muitas vicissitudes, no peregrinar de uma vida modesta, na Terra.

Muitas vezes, parecia-me que as conjunturas conspiravam contra os meus ideais.

Lutador, coletava poucos louros; afadigando-me no trabalho, reunia resultados desconfortantes. Insistindo no bem, percebia-me sitiado por forças da delinqüência, mas em contrapartida, conheci o Espiritismo que me deu a verdadeira visão da vida, que é esta, a de natureza espiritual, ensinando-me onde estava a matriz dos acontecimentos e ao mesmo tempo oferecendo-me os recursos da fé, que são a metodologia para bem os sofrer.

Constituí família a braços com a crença restauradora e com as lutas de lapidação moral. O organismo alquebrado, ao largo dos anos, chegou na idade madura a apresentar dilacerações que eram provenientes do passado, tais: problemas circulatórios, a visão deficiente, a fala com limitações, no entanto, o Espírito resoluto.

Em momentos de fraqueza, lamentava o apagar da vista, não pela saudade dos contornos e das cores da Natureza, porém, pelo impedimento natural de poder meditar nas leituras sadias do Evangelho.

Quando a morte me libertou da carcaça física, abrindo-me os horizontes coloridos da imortalidade, exultante, porque o breve degredo chegava ao fim, anunciou-me uma jornada de liberdade.

As consolações que acalentara durante a noite da viagem corporal, agora se transformavam em sol que não permitia mais sombra nenhuma pelo caminho. As lágrimas contidas e a resignação preservada nos momentos mais ásperos dos testemunhos, desabrochavam em sorrisos, como botões de rosa osculados pela tepidez do Sol. A pobreza, no lar confiantemente aceita e vivida com alegria, era agora a fortuna que se manifestava como abundância interior de paz e nenhuma saudade dos valores enferrujam e perdem-se. O filho querido, que viajara antes de mim, deixando-nos, à sua mãe e a mim, nos panos sombrios da saudade resignada, agora, de braços abertos, aguardava-me para dizer-me entre lágrimas de emoção: Seja bem-vindo papai, de retorno a casa.

É verdade que o Reino de Deus começa no coração de cada um e que o império da justiça em leis soberanas com medidas mui diferentes da legislação ainda equivocada dos homens.

Hoje, com a família reconstituída, olhamos os três para o futuro – esposa, filho e eu –, bendizendo a fé que nos enriqueceu de esperança e se manifestou na luz da caridade para com o próximo, conseqüentemente para nós mesmos.

Somente compreendendo o significado profundo da vida, as razões do Espírito, é que a mesma tem sentido e conteúdo.

Enquanto o homem não se resolver por despojar-se dos atavios, aprendendo a valorizar o que realmente é de importância em detrimento das distrações e dos equívocos, não aprenderá a significação real da existência, vivendo as oscilações da amargura, do riso e das expectativas que se esboroam como névoa.

Certamente, não pretendo sugerir que se viva, na Terra, o reino da tristeza e do desconforto. Pelo contrário, é desejável que a alegria estue no coração e que as concessões da ciência e do conhecimento sejam bem utilizadas. Ao que nos pretendemos referir, é à escola de valores legítimos em que os usos, os costumes e as coisas signifiquem mordomias que passam, objetivando as realidades que permanecem.

Transitei entre os homens no semi-anonimato da pobreza, no trabalho modesto, iluminado pela estrela polar da revelação dos Espíritos e aqui estou rendendo graças a Deus pelas Suas bênçãos.[16]

Antônio Tourinho

[16] Divaldo P. FRANCO, *Depoimentos vivos*, pág. 163 a 166.

Capítulo 5

Buscar o Reino de Deus: o Encontro com o Ser

Estudemos, agora, o significado profundo sobre a orientação dada por Jesus: "Buscai o Reino de Deus e a sua justiça". O objetivo principal de estarmos reencarnados no mundo físico é para aprendermos essa verdade.

Vejamos o que Jesus nos recomenda em Mateus: 6,25-34:

> Por isso, vos digo: não andeis cuidadosos quanto à vossa vida, pelo que haveis de comer ou pelo que haveis de beber; nem quanto ao vosso corpo, pelo que haveis de vestir. Não é a vida mais do que o mantimento, e o corpo, mais do que a vestimenta?
>
> Olhai para as aves do céu, que não semeiam, nem segam, nem ajuntam em celeiros; e vosso Pai celestial as alimenta. Não tendes vós muito mais valor do que elas?
>
> E qual de vós poderá, com todos os seus cuidados, acrescentar um côvado à sua estatura?

> E, quanto ao vestuário, porque andais solícitos? Olhai para os lírios do campo, como eles crescem; não trabalham, nem fiam.
> E eu vos digo que nem mesmo Salomão, em toda a sua glória, se vestiu como qualquer deles.
> Pois, se Deus assim veste a erva do campo, que hoje existe e amanhã é lançada no forno, não vos vestirá muito mais a vós, homens de pequena fé?
> Não andeis, pois, inquietos, dizendo: Que comeremos ou que beberemos ou com que nos vestiremos?
> (Porque todas essas coisas os gentios procuram). Decerto, vosso Pai celestial bem sabe que necessitais de todas essas coisas;
> Mas buscai primeiro o Reino de Deus, e a sua justiça, e todas essas coisas vos serão acrescentadas.
> Portanto, não vos inquieteis com o dia de amanhã, pois o amanhã trará os seus cuidados; basta ao dia o seu próprio fardo.

Em Mateus: 10,29-30, temos: "Não se vendem dois passarinhos por um ceitil? E nenhum deles cairá em terra sem a vontade de vosso Pai. E até mesmo os cabelos da vossa cabeça estão todos contados. Não temais, pois; mais valeis vós do que muitos passarinhos".

Nestas passagens do Evangelho Jesus chama-nos a atenção o fato de Deus prover a todas as suas criaturas. É uma das Suas mais poéticas falas, em que Jesus aborda o cuidado de Deus junto aos pássaros nos céus que não deixa morrer de fome, junto aos lírios do campo e junto a nós seres humanos, cuidados com tanto esmero que até os cabelos de nossa cabeça estão contados.

É claro que, quando Jesus nos chama a atenção para essas verdades não está nos convidando a vivermos descuidados de nossa vida, a aguardar que Deus nos proveja de todos os recursos necessários, sem que façamos a nossa parte. A Providência Divina não anula a previdência humana.

O convite de Jesus incide no asserenar dos nossos corações, pois, quando buscamos ansiosamente as questões puramente materiais, esquecendo transitoriamente que somos seres espirituais, desconectamos de nossa paz interior e então ficamos inquietos, preocupados com o dia de amanhã, esquecidos de que só podemos viver no tempo presente.

O nosso coração turba-se diante das necessidades materiais, em que depositamos todo o nosso tesouro, esquecendo-nos da vida espiritual, tesouro maior de nossas vidas. (**"Porque onde estiver o vosso tesouro, aí estará também o vosso coração"**).

Uma pergunta nós podemos nos fazer no que tange aos recursos financeiros necessários à nossa vida material: Como proceder de modo que o nosso coração não se turbe e possamos realizar o nosso trabalho de forma coerente com a proposta cristã e manter, assim, a nossa consciência tranquila?

A resposta está nesta fala de Jesus: **"Buscai primeiro o Reino de Deus e a sua justiça, e todas as coisas vos serão acrescentadas"**.

Façamos a exegese deste versículo. O "Reino de Deus" é o símbolo que Jesus utiliza várias vezes para indicar os sentimentos superiores originados a partir da virtude do amor, presentes no interior da própria criatura. A justiça é a própria Lei de Deus que tem como base a Lei de Amor, a qual está ínsita na consciência de cada um de nós.

Podemos, então, dizer que a partir do momento que desenvolvermos a ética do amor em nossos corações e nas atividades que realizamos tudo o mais nos será acrescentado.

Na questão financeira e demais recursos, tanto em nível individual quanto coletivo, a parte que nos cabe fazer é desenvolver uma postura ética diante da vida, tanto para auferir os recursos, quanto para utilizá-los. Fazendo isso, Deus nos proverá de todos os recursos que necessitarmos. É a postura essencialmente espiritualista estudada no capítulo anterior.

Nos seguintes versículos anotados por João: 10,11-13 Jesus nos coloca simbolicamente as posturas que podemos ter diante da vida: pastor ou mercenário, colocando-nos a questão ética a qual seremos convidados a realizar para auferir os recursos necessários para a nossa vida. "Eu sou o bom pastor. O bom pastor dá a vida pelas ovelhas. O mercenário, que não é pastor, a quem não pertencem as ovelhas, vê vir o lobo, abandona as ovelhas e foge; então, o lobo as arrebata e dispersa. O mercenário foge, porque é mercenário e não tem cuidado com as ovelhas".

O princípio ético de todo cristão que se constitui na aplicação prática da Lei do Amor e de sua justiça está exarada em Mateus: 7,12: **"Portanto, tudo o que vós quereis que os homens vos façam, fazei-lho também vós, porque esta é a lei e os profetas".**

Analisemos agora a questão ética no tocante à obtenção dos recursos financeiros para nos prover a vida.

Psicologicamente, muitas pessoas possuem uma posição dicotômica quanto ao dinheiro, separando-o das coisas ditas sagradas. Fazem isso talvez por interpretarem de forma literal a seguinte fala de Jesus: **"Ninguém pode servir a dois senhores, porque ou há de odiar um e amar o outro ou se dedicará a um e desprezará o outro. Não podeis servir a Deus e a Mamom (riquezas)".** Então, em uma visão simplista as coisas sagradas são de Deus e o dinheiro pertence a Mamom e não devem ser misturadas.

Quando Jesus diz que ninguém pode servir a dois senhores refere-se exatamente à separação que fazemos entre as coisas sagradas e profanas. Quando colocamos o dinheiro separado das coisas de Deus estabelecemos a dicotomia que nos levará a amá-lo, dedicando-nos exclusivamente a ele, ou a odiá-lo, desprezando-o.

Nessa abordagem simplista tudo o que é espiritual não pode jamais estar ligado ao dinheiro, pois este pertence ao reino de Mamom e não ao de Deus.

Mas será que é isso mesmo que Jesus quer dizer? Em verdade, Jesus nos chama a atenção quanto a servirmos a "dois senhores". E é isso que nos leva a essa dicotomia e a realizar ações antiéticas para auferir o dinheiro, tornando-nos **"teres"** humanos.

Conforme vimos no capítulo anterior, há uma separação entre as questões espirituais e as questões materiais. Então, não importa se, para ganharmos dinheiro nós realizamos ações contrárias à ética cristã, prejudicando outras pessoas, o meio ambiente, enfim a vida, de acordo com o que muitas pessoas o fazem. Muitos realizam inclusive tais ações e depois, para aliviar a ansiedade de consciência que sentem, fazem doações para as atividades religiosas, as quais pertencem, de modo a tornarem mais suportáveis as suas ações. É como se essas pessoas quisessem comprar de Deus a absolvição.

Mas, se refletirmos profundamente, nós chegaremos à conclusão que todo o dinheiro, bem como todos e quaisquer recursos materiais existentes no Universo pertencem a Deus, e as criaturas humanas são apenas usufrutuárias desses recursos.

Reside na obtenção e na utilização dos recursos materiais a observação que Jesus faz a respeito dos "dois senhores".

Se cultivarmos especial atenção ao dinheiro, esquecidos de que o mesmo pertence a Deus e é sagrado em sua essência, passamos a amá-lo mais do que qualquer outra coisa. Agimos como o mercenário a que Jesus se refere.

E, por esse raciocínio não importa como o dinheiro vai ser conseguido, o que importa é que o detenhamos na maior quantidade possível. Com essa prática passamos a servir exclusivamente a Mamom, desprezando a Deus, mesmo quando acreditamos fazer o contrário. Entretanto, não foi o dinheiro que fez isso, mas sim o nosso livre-arbítrio.

Ao contrário, se o virmos como um bem divino que não nos pertence, e que somos simples usufrutuários desse bem, e o que nos pertence é a forma como o auferimos e utilizamos, nós estaremos servindo a Deus sempre que o obtivermos segundo a postura ético-cristã, e o utilizarmos para o bem de todos. Agimos dessa forma como o pastor dedicado, que busca o bem coletivo.

Portanto, no que tange às "coisas", é fundamental que nós tenhamos sempre em mente que elas nos são acrescentadas quando buscamos o "Reino" de Deus dentro de nós.

Agora, aprofundemos mais a questão do "Reino de Deus e da sua justiça". Estudaremos a seguir as chamadas Bem-aventuranças com as quais Jesus inicia o célebre Sermão da Montanha.

Em Mateus: 16,27 Jesus diz: **"A cada um segundo as suas obras",** sinalizando a necessidade de sermos cocriadores com Deus criando um mundo melhor a começar de nosso mundo íntimo.

Todos nós estamos no mundo para cumprir um objetivo que denominamos de propósito existencial, o qual existe em função da capacidade de sermos cocriadores em sintonia com a Consciência Cósmica Criadora da Vida. A finalidade maior de nossa vida constitui-se em sermos colaboradores de Deus **("vós sois deuses")**, contribuindo para a construção de um mundo mais feliz e harmonioso.

Somente por meio do amor podemos criar em torno de nós um mundo melhor, começando pelo nosso próprio mundo interior. Poderíamos dizer que esse é o propósito existencial de todo ser humano. Será realizado de uma maneira própria, individualizada, pois somos seres únicos e temos uma particularidade que faz com que cada pessoa tenha um propósito todo pessoal. O objetivo, porém, é o mesmo, na essência: ser cocriador do amor em todas as nossas ações.

Quando estamos sintonizados com esse propósito existencial, toda a nossa vida torna-se criativa. Para sermos cocriadores precisamos entrar em contato com a nossa competência essencial, oriunda da energia de amor que somos. Quando sintonizamos com esse amor, tudo flui dentro e em torno de nós.

Para que isso se dê, a sintonia conosco mesmos em Essência é fundamental, a partir daí sintonizarmos com Deus, permitindo que o fluxo criativo torne-se realidade.

Esse mecanismo está à disposição de todos nós. Somos essencialmente cocriadores; somos potencialmente a boa terra da parábola do semeador, conforme veremos no próximo capítulo, pois nascemos no mundo para cumprir o propósito de realizar a nossa evolução, direcionando a nossa vida para o amor, para o bom, para o bem, para o belo, criando dentro e em torno de nós um estado de harmonia, realizando com isso o verdadeiro sentido da vida.

Em cada existência realizamos essa evolução, efetivando experiências que concorrem para o aprimoramento de um determinado aspecto de nossa vida. Em uma, podemos desenvolver a inteligência; em outra, a bondade; em outra, a humildade; em outra, ainda, a sabedoria, etc. Com isso realizamos a nossa evolução como seres imortais.

Quando estamos dessintonizados de nosso propósito existencial, interrompemos nossa ligação com o fluxo criativo do Universo, resultando em um estado de desarmonia, de dessintonia da Energia Cósmica Criadora. Isso estará representando uma desconexão com o verdadeiro sentido de nossa vida. Como consequência, iremos gerar a doença existencial produtora da infelicidade, da insatisfação, da falta de plenitude. Podemos afirmar que uma pessoa nesse estado não vive, vegeta. A ausência de um ideal criativo a mata psicologicamente, gerando a falta de conexão com o Ser Essencial cocriador que ela é. Mesmo que ela seja alguém muito produtivo em nível do **ter** e do **fazer**, a ausência de conexão com o **Ser** a impede de se sentir plena com aquilo que realiza. Ela não se torna uma **colaboradora** do Criador do Universo, até que desperte para o verdadeiro sentido de sua vida.

Torna-se fundamental, portanto, a conexão com o nosso propósito existencial para que tenhamos vida, agindo como cocriadores de nossa vida e por ressonância, da vida no Cosmos. Quando conectados com a Vida Cósmica, o nosso mundo íntimo torna-se melhor e o Mundo, um lugar melhor.

No início do Sermão da Montanha Jesus nos dá um roteiro para a realização de nosso propósito existencial quando aborda a questão das bem-aventuranças em Mateus: 5,1-11:

> E Jesus, vendo a multidão, subiu a um monte e, assentando-se, aproximaram-se dele os seus discípulos;
> E, abrindo a sua boca, os ensinava dizendo:
> Bem-aventurados os humildes de espírito, porque deles é o Reino dos céus;
> Bem-aventurados os que choram, porque eles serão consolados;
> Bem-aventurados os mansos, porque eles herdarão a terra;

> Bem-aventurados os que têm fome e sede de justiça, porque eles serão fartos;
> Bem-aventurados os misericordiosos, porque eles alcançarão misericórdia;
> Bem-aventurados os limpos de coração, porque eles verão a Deus;
> Bem-aventurados os pacificadores, porque eles serão chamados filhos de Deus;
> Bem-aventurados os que sofrem perseguição por causa da justiça, porque deles é o Reino dos céus;
> Bem-aventurados sois vós quando vos injuriarem, e perseguirem, e, mentindo, disserem todo o mal contra vós, por minha causa.

Quando lemos as bem-aventuranças temos a impressão de que devemos aguardar passivamente, sofrendo, chorando, sendo perseguidos durante a vida no corpo para ter a recompensa após a nossa morte, no "Reino dos céus". Muitos entendem as beatitudes dessa forma e passam uma vida inteira conformados com a qualidade de vida que têm para obter um lugar melhor no "céu".

Em realidade, a proposta de Jesus é outra, uma vez que a passividade, a inação não existe no Universo. Se buscarmos o original em hebraico do Evangelho de Mateus a palavra que Jesus usa é "ashréi", proveniente de "ashar", que significa a retidão de alguém **em marcha** em direção ao "Reino de Deus", fato que proporciona alegria e felicidade. Portanto, a palavra que Jesus usa pressupõe ação e não passividade.

Portanto, em linguagem moderna, poderíamos traduzir bem-aventurados por **em marcha**, isto é, em movimento de transformação. O movimento é a lei do Universo. Tudo se movimenta. Quando não há movimentação há estagnação e tudo se deteriora, como a água parada que apodrece e não gera vida.

Quando nós colocamos esse significado a essa palavra e não uma expectativa passiva ela faz todo o sentido, pois aqueles de nós que choramos, que temos fome e sede de justiça, que somos perseguidos devemos nos movimentar para nos libertar dessas dificuldades tão comuns em nosso mundo, desenvolvendo em nós a humildade, a mansidão, a misericórdia, a pureza de coração, a pacificação.

Quando nos colocamos **em marcha**, buscando uma vida com retidão, a alegria e a felicidade que sentimos é consequência desse estado interior, que começa aqui e agora, no próprio mundo, pois é fruto da consciência tranquila, daquele que busca o "Reino de Deus e a sua justiça" em suas próprias ações, proporcionando a si mesmo desde já a plenitude e não somente após a desencarnação.

A passividade não faz parte do Universo, conforme nos ensina o próprio Cristo em Mateus:7,7-8: **"Pedi, e dar-se-vos-á; buscai, e encontrareis; batei, e abrir-se-vos-á. Porque, aquele que pede, recebe. E o que busca, encontra; e, ao que bate, abrir-se-lhe-á".** Por isso, é necessário dar um novo significado às bem-aventuranças, refletir sobre o pensamento de Jesus e nos colocar **em marcha**, realizando, assim, o nosso propósito existencial que é o de irmos ao encontro do **Ser,** a fim de transformarmos a nossa vida e este planeta em um lugar melhor para todos nós.

Muitas dificuldades surgem em nossa vida pela nossa própria incúria e passividade com relação ao sofrimento. Por isso, é necessário estar **em marcha** para superar as causas do sofrimento. Porém, quando realizamos todas as ações possíveis e as limitações ainda persistem em nossa vida, significa que a causa está em outras existências, conforme vimos nos capítulos anteriores. Nesse caso é fundamental que busquemos a resignação e, a partir dessa resignação, ir ao encontro do "Reino dos Céus" dentro de nós mesmos, que nos garantirá uma vida melhor após a nossa desencarnação e em futuras reencarnações.

A proatividade de Jesus começa a ser relatada por Mateus: 5,1-2 no Sermão da Montanha: **"E Jesus vendo a multidão, subiu a um monte e, assentando-se, aproximaram-se dele os seus discípulos. E abrindo a sua boca, os ensinava, dizendo".** Subir ao monte para ensinar expressa a relevância do ensino que iria ser transmitido para o porvir.

As bem-aventuranças têm relação umas com as outras formando um todo único, subdividido didaticamente em etapas. A primeira etapa gera a segunda, que por sua vez tem tudo a ver com a primeira, reforçando-a e desdobrando-a e assim sucessivamente em 09 etapas interdependentes, conforme veremos a seguir, estudando o significado profundo de cada uma das bem-aventuranças:

"Bem-aventurados os humildes de espírito, porque deles é o Reino dos céus".

As traduções menos fiéis trazem a palavra 'pobres' em lugar de humildes, palavra que realmente Jesus deve ter usado, porque a humildade de espírito independe de classe social e, por isso, faz mais sentido.

No capítulo um, no item "O Aprendiz da Vida", vimos a importância de fazermos exercícios de humildade a partir do convite de Jesus: **"Aprendei comigo que sou manso e humilde de coração".**

Ao realizarmos esses exercícios de humildade estaremos nos libertando do orgulho que ainda existe em nós, vício moral que leva à inversão de valores a respeito do materialismo, analisado nos capítulos anteriores. Por isso, essa primeira bem-aventurança é a base das demais, sem a qual se torna impossível a prática dos exercícios de humildade.

Portanto, estarmos **em marcha,** em movimento de transformação é fundamental, realizando exercícios de humildade, tantos quantos forem necessários, indo ao encontro do Ser que somos, em busca do "Reino dos céus", dentro de nós mesmos.

"Bem-aventurados os que choram, porque eles serão consolados".

Esta bem-aventurança faz muito sentido se for vinculada à anterior, pois não basta chorar, é necessário agregar, junto ao choro, os exercícios de humildade.

Muitos, ao analisarem superficialmente esta bem-aventurança, acreditarão que quanto mais sofrimento produzir o choro, melhor, pois depois na vida espiritual haverá um consolo automático. Porém, reflitamos que existem muitas pessoas que choram de raiva porque não conseguem aquilo que desejam. Quantas choram de desespero, movidas pela rebeldia de não aceitarem as conjunturas da vida, convidando-as a um aprendizado. Por isso, é necessário bem chorar, fato que somente com exercícios de humildade e mansidão poderemos fazer.

É fundamental aos que choram colocarem-se **em marcha**, realizando exercícios de mansidão e humildade para se libertarem das causas do choro. Essa transformação interior proporcionará o consolo, não apenas na vida futura, mas desde já, pois ao sentir a justiça divina presente nas causas do choro, as lágrimas cessarão e a alegria e felicidade presentes, na certeza de estar se redimindo, tomarão conta do **Ser** que chora, consolando-o.

"Bem-aventurados os mansos, porque eles herdarão a terra".

A mansidão é uma das virtudes, juntamente com o amor e a humildade, que Jesus coloca como condição para obtermos descanso para a nossa alma, tornando o jugo suave e o fardo leve.

O exercício de amor, mansidão e humildade de coração é a condição para que permaneçamos na Terra na grande regeneração que se avizinha. Jesus, ao se referir a essa bem-aventurança estava profetizando, chamando-nos a atenção para entrarmos **em marcha** para construirmos com amor, mansidão e humildade um mundo melhor para nós, a começar pelo nosso mundo íntimo, buscando o "Reino de Deus" em nós mesmos.

Em *O Evangelho Segundo o Espiritismo* capítulo III, "Há muitas moradas", itens 17 a 19[17], Santo Agostinho

[17] Allan KARDEC, *O evangelho segundo o espiritismo,* itens 17-19.

mostra-nos como são os mundos de regeneração, categoria para a qual a Terra está em transição.

> Os mundos regeneradores servem de transição entre os mundos de expiação e os mundos felizes. A alma penitente encontra neles a calma e o repouso e acaba por depurar-se.
> Sem dúvida, em tais mundos o homem ainda se acha sujeito às leis que regem a matéria; a Humanidade experimenta as vossas sensações e desejos, mas liberta das paixões desordenadas de que sois escravos, isenta do orgulho que impõe silêncio ao coração, da inveja que a tortura, do ódio que a sufoca. Em todas as frontes, vê-se escrita a palavra amor; perfeita eqüidade preside às relações sociais, todos reconhecem Deus e tentam caminhar para Ele, cumprindo-lhe as leis.
> Nesses mundos, todavia, ainda não existe a felicidade perfeita, mas a aurora da felicidade. O homem lá é ainda de carne e, por isso, sujeito às vicissitudes de que libertos só se acham os seres completamente desmaterializados. Ainda tem de suportar provas, porém, sem as pungentes angústias da expiação. Comparados à Terra, esses mundos são bastante ditosos e muitos dentre vós se alegrariam de habitá-los, pois que eles representam a calma após a tempestade, a convalescença após a moléstia cruel. Contudo, menos absorvido pelas coisas materiais, o homem divisa, melhor do que vós, o futuro; compreende a existência de outros gozos prometidos pelo Senhor aos que deles se mostrem dignos, quando a morte lhes houver de novo

ceifado os corpos, a fim de lhes outorgar a verdadeira vida. Então, liberta, a alma pairará acima de todos os horizontes. Não mais sentidos materiais e grosseiros; somente os sentidos de um perispírito puro e celeste, a aspirar as emanações do próprio Deus, nos aromas de amor e de caridade que do seu seio emanam.

Mas, ah! Nesses mundos, ainda falível é o homem e o Espírito do mal não há perdido completamente o seu império.

Não avançar é recuar, e, se o homem não se houver firmado bastante na senda do bem, pode recair nos mundos de expiação, onde, então, novas e mais terríveis provas o aguardam.

Contemplai, pois, à noite, à hora do repouso e da prece, a abóbada azulada e, das inúmeras esferas que brilham sobre as vossas cabeças, indagai de vós mesmos quais as que conduzem a Deus e pedi-lhe que um mundo regenerador vos abra seu seio, após a expiação na Terra. — Santo Agostinho. (Paris, 1862.)

Progressão dos mundos

O progresso é lei da Natureza. A essa lei todos os seres da Criação, animados e inanimados, foram submetidos pela bondade de Deus, que quer que tudo se engrandeça e prospere.

A própria destruição, que aos homens parece o termo final de todas as coisas, é apenas um meio de se chegar, pela transformação, a um estado mais perfeito, visto que tudo morre para renascer e nada sofre o aniquilamento.

Ao mesmo tempo que todos os seres vivos progridem

moralmente, progridem materialmente os mundos em que eles habitam. Quem pudesse acompanhar um mundo em suas diferentes fases, desde o instante em que se aglomeraram os primeiros átomos destinados a constituí-lo, vê-lo-ia a percorrer uma escala incessantemente progressiva, mas de degraus imperceptíveis para cada geração, e a oferecer aos seus habitantes uma morada cada vez mais agradável, à medida que eles próprios avançam na senda do progresso. Marcham assim, paralelamente, o progresso do homem, o dos animais, seus auxiliares, o dos vegetais e o da habitação, porquanto nada em a Natureza permanece estacionário. Quão grandiosa é essa idéia e digna da majestade do Criador! Quanto, ao contrário, é mesquinha e indigna do seu poder a que concentra a sua solicitude e a sua providência no imperceptível grão de areia, que é a Terra, e restringe a Humanidade aos poucos homens que a habitam! Segundo aquela lei, este mundo esteve material e moralmente num estado inferior ao em que hoje se acha e se alçará sob esse duplo aspecto a um grau mais elevado. Ele há chegado a um dos seus períodos de transformação, em que, de orbe expiatório, mudar-se-á em planeta de regeneração, onde os homens serão ditosos, porque nele imperará a lei de Deus. — Santo Agostinho.

Portanto, somente herdarão a Terra aqueles que estiverem dispostos a entrar **em marcha** aprimorando a si mesmos com exercícios de amor, mansidão e humildade de coração. Os demais sofrerão um exílio para outros planetas, que poderá ser temporário ou definitivo, a depender do esforço de cada um.

"Bem-aventurados os que têm fome e sede de justiça, porque eles serão fartos".

Esta bem-aventurança é de um significado profundo. No capítulo anterior analisamos a questão referente à existência de injustiças e não de injustiçados. Os que se sentem injustiçados, na verdade, estão pela Lei de Causa e Efeito, experimentando em si mesmos a injustiça gerada pelo egoísmo e orgulho que cultivaram no passado espiritual. Portanto, somente é possível fazer justiça, cultivando-se o amor, a mansidão e a humildade de coração, conforme vemos nas bem-aventuranças anteriores.

Jesus recomenda aos que se sentem injustiçados, a entrarem **em marcha**, aos que têm fome e sede de justiça a se movimentarem, buscando-a. Onde a encontraremos? Dentro de nós, buscando o "Reino de Deus e a Sua justiça", para sermos fartos.

Se analisarmos essa bem-aventurança, de uma forma superficial, ficaremos aguardando passivamente uma recompensa dos "céus" para as injustiças do mundo. Essa postura faria perpetuar a injustiça na face da Terra, pois simplesmente bastaria sofrer uma injustiça para alguém ser farto na vida espiritual. Jamais Jesus ensinaria algo assim.

Quando uma pessoa está vivenciando uma injustiça, a que ela está sendo convidada? Está sendo convidada a aprender a buscar o "Reino de Deus e a sua justiça". O "Reino de Deus" é feito de amor e a justiça divina é feita de equanimidade. Por isso não existem injustiçados, apesar de existirem muitas injustiças.

Então, quando estamos com fome e sede de justiça é necessário que mergulhemos nas causas das injustiças que existem em nós, originadas do desamor, da rebeldia, do egoísmo e do orgulho para que possamos aprender com os nossos erros. A condição para se encontrar o "Reino de Deus" é assumir-se como aprendiz da vida, conforme já estudamos. É para isso que sofremos as injustiças, criadas individual e coletivamente. Deus permite que elas existam para nos proporcionar aprendizado.

Quando aprendemos a lição entramos em fartura, obtida pelos exercícios de amor, mansidão, humildade, caridade, etc., que conduz à justiça.

Em um mundo de regeneração não há espaço para injustiças, que são próprias de planetas de expiações e provas e de mundos primitivos. Se não começarmos, aqui e agora, a mudar o nosso mundo, tornando-o mais justo, não há como sermos fartos.

Portanto, se cada um de nós buscar ser amorosamente justo, mais altruísta, logo nós não teremos mais injustiças na Terra, porque não teremos mais pessoas causando injustiças e todos nós viveremos em fartura de amor e justiça.

"Bem-aventurados os misericordiosos, porque eles alcançarão misericórdia".

A misericórdia tem a ver exatamente com a superação da injustiça, exarada na bem-aventurança mencionada anteriormente. Ser misericordioso significa ver o outro com compaixão.

Em português a palavra compaixão é sinônima de pena, dó, comiseração, piedade que lhe equivalem semanticamente, entretanto, psicologicamente falando, têm conotações diferentes.

Ter compaixão é nos solidarizarmos com a dor do outro, porque aprendemos a fazer isso conosco mesmos, através do exercício de amor, mansidão e humildade. Dó, pena, piedade ou comiseração expressam um sentimento menor de pseudoamor, em que acreditamos que o outro seja um coitado, assim como nos achamos coitados quando estamos passando por uma dificuldade, como se fôssemos incapazes de lidar com ela.

A misericórdia é buscar a compaixão plena, solidarizando-nos com a nossa dor e com a dor do outro, sabendo que somos capazes, e o outro também o é de superá-la. Então, quando somos misericordiosos a misericórdia começa por nós, vai até o outro e retorna a nós. Se usarmos de compaixão conosco mesmos, seremos compassivos para com os outros, e o universo todo responde com compaixão para nós.

Em marcha, portanto, os misericordiosos para obterem misericórdia.

"Bem-aventurados os limpos de coração, porque eles verão a Deus".

O que significa ver a Deus? Vamos buscar o significado em *A Gênese* capítulo 2 itens 31-35, que aborda "A visão de Deus":

Se Deus está em toda parte, por que não o vemos? Vê-lo-emos quando deixarmos a Terra? Tais as perguntas que se formulam todos os dias.

A primeira é fácil responder. Por serem limitadas as percepções dos nossos órgãos visuais, elas os tornam inaptos à visão de certas coisas, mesmo materiais. Alguns fluidos nos fogem totalmente à visão e aos instrumentos de análise; entretanto, não duvidamos da existência deles.

Os nossos órgãos materiais não podem perceber as coisas de essência espiritual. Unicamente com a visão espiritual é que podemos ver os Espíritos e as coisas do mundo imaterial. Somente a nossa alma, portanto, pode ter a percepção de Deus. Dar-se-á que ela o veja logo após a morte? A esse respeito, só as comunicações de além-túmulo nos podem instruir. Por elas sabemos que a visão de Deus constitui privilégio das mais purificadas almas e que bem poucas, ao deixarem o envoltório terrestre, se encontram no grau de desmaterialização necessária a tal efeito. Uma comparação vulgar o tornará facilmente compreensível.

Uma pessoa que se acha no fundo de um vale, envolvido por densa bruma, não vê o Sol. Entretanto, pela luz difusa, percebe que está fazendo sol. Se entra a subir a montanha, à medida que for ascendendo, o nevoeiro se irá tornando mais claro, a luz cada vez mais viva. Contudo, ainda não verá o Sol. Só depois que se haja elevado acima da camada brumosa e chegado a um ponto onde o ar esteja perfeitamente límpido, ela o contemplará em todo o seu esplendor.

O mesmo se dá com a alma. O envoltório perispirítico, conquanto nos seja invisível e impalpável, é, com relação a ela, verdadeira matéria, ainda grosseira demais para certas percepções. Ele, porém, se espiritualiza, à proporção que a alma se eleva em moralidade. As imperfeições da alma são quais camadas nevoentas que lhe obscurecem a visão. Cada imperfeição de que ela se desfaz é uma mácula a menos; todavia, só depois de se haver depurado completamente é que goza da plenitude das suas faculdades.

Sendo Deus a essência divina por excelência, unicamente os Espíritos que atingiram o mais alto grau de desmaterialização o podem perceber. Pelo fato de não o verem, não se segue que os Espíritos imperfeitos estejam mais distantes dele do que os outros; esses Espíritos, como os demais, como todos os seres da Natureza, se encontram mergulhados no fluido divino, do mesmo modo que nós o estamos na luz. O que há é que as imperfeições daqueles Espíritos são vapores que os impedem de vê-lo. Quando o nevoeiro se dissipar, vê-lo-ão resplandecer. Para isso, não lhes é preciso subir, nem procurá-lo nas profundezas do infinito. Desimpedida a visão espiritual das belidas que a obscureciam, eles o verão de todo lugar onde se achem, mesmo da Terra, porquanto Deus está em toda parte.

O Espírito só se depura com o tempo, sendo as diversas encarnações o alambique em cujo fundo deixa de cada vez algumas impurezas. Com o abandonar o seu invólucro corpóreo, os Espíritos não se despojam instantaneamente de suas imperfeições, razão por que, depois da morte, não vêem a Deus mais do que o viam

> quando vivos; mas, à medida que se depuram, têm dele uma intuição mais clara. Não o vêem, mas compreendem-no melhor; a luz é menos difusa.

Portanto, está claro no texto que somente Espíritos puros conseguem ver Deus, ver a Grande Luz que denominamos Deus. Então, por que Jesus fala para nós, que estamos distantes da pureza espiritual, para entrarmos **em marcha**, limpando o coração, para conseguirmos ver Deus? A pureza de coração completa, com certeza, acontecerá em um futuro muito remoto para todos nós, quando então nos tornaremos Espíritos puros.

No entanto, estaria Jesus falando desse momento distante, ou de algo que podemos realizar, aqui e agora? Como as bem-aventuranças são complementares e todas as anteriores estão nos convidando a entrarmos **em marcha**, realizando ações, aqui e agora, esta também se reporta à mesma ação. Por esse prisma, Jesus refere-se ao deus interno, que existe em nós, conforme narra João (10,34): **"Respondeu-lhes Jesus: Não está escrito na vossa lei: Eu disse: sois deuses".**

Jesus, portanto, fala "sois deuses". Limpo de coração, neste contexto, é aquele que está **em marcha** buscando o "Reino de Deus e a sua justiça". Não é a pessoa perfeita, mas a pessoa que está em aperfeiçoamento.

Se estivermos sempre **em marcha** em direção ao nosso aperfeiçoamento, vamos, cada vez mais, fortalecer os ideais de espiritualidade e religiosidade, nos purificando como espíritos imortais e nos religando de forma intensa a Deus.

Essa atitude vai proporcionar que vejamos a presença de Deus dentro de nós, no estado evolutivo em que estamos, aproximando-nos de Deus plenamente, sentindo-o em Espírito e Verdade, até que alcancemos a pureza espiritual e possamos, então, ver Deus da forma como Kardec relata em *A Gênese*.

"Bem-aventurados os pacificadores, porque eles serão chamados filhos de Deus".

Esta bem-aventurança está intimamente associada à terceira: **"Bem-aventurados os mansos, porque eles herdarão a terra".**

Muitas vezes confundimos o pacífico com o passivo. A passividade não faz parte das Leis do Universo que é 'todo ação'.

Pacificadores são aqueles que realizam exercícios de mansidão e de humildade para transformar a si mesmos, desenvolvendo a paz e promover ativamente a paz no Planeta em que vivemos.

Para sermos pacificadores necessitaremos de pacificação interior. Portanto, **em marcha** os pacificadores para se pacificarem intimamente, a fim de terem instrumentos de pacificação externa, para com isso sentirem plenamente que são filhos de Deus.

"Bem-aventurados os que sofrem perseguição por causa da justiça, porque deles é o Reino dos céus".

Esta bem-aventurança é semelhante à quarta bem-aventurança: **"Bem-aventurados os que têm fome e sede de justiça, porque eles serão fartos".** A diferença desta para a quarta é que aqueles que buscam a justiça em um mundo ainda repleto de injustiças, mesmo que não estejam padecendo essas injustiças, são literalmente perseguidas.

Por exemplo, uma pessoa no meio político que quer realmente o bem da população, das pessoas que a elegeram, é extremamente perseguida, caluniada. Tudo é feito para que ela se corrompa. São poucos, ainda, aqueles que resistem ao assédio da corrupção. Esse mesmo assédio existe para todos aqueles que estão buscando um ideal de justiça.

Portanto, Jesus diz: **em marcha** aqueles que sofrem perseguição por causa da justiça para manterem com firmeza o seu ideal. Ele convida a pagarem o preço para isso, porque diante de um mundo de pessoas ainda desequilibradas, cometendo injustiças, aqueles que buscam o equilíbrio serão perseguidos. Porém, é necessário dar o testemunho para conquistar o valor da justiça, porque realizando esforços continuados, pacientes e perseverantes em direção à justiça, estaremos alcançando, aqui e agora, o "Reino dos céus".

"Bem-aventurados sois vós quando vos injuriarem e perseguirem e, mentindo, disserem todo o mal contra vós, por minha causa".

Esta bem-aventurança é um desdobramento da anterior. O que Jesus representa em nossas vidas? Jesus representa os ideais de amor, de justiça e de caridade. Em um mundo, ainda repleto de iniquidades causadas pelo materialismo, aqueles que buscam os ideais cristãos, de acordo com o que estudamos no capítulo anterior, são perseguidos por encarnados e desencarnados, que desejam que a Terra continue a ser um planeta onde a dor e o sofrimento imperam.

Porém, como vimos no estudo das bem-aventuranças acima citadas, é impossível deter o momento de Regeneração do planeta. Mais do que em outras épocas, Jesus necessita de discípulos fiéis para essa regeneração que se aproxima.

O Espiritismo tem como objetivo principal a revivescência dos ideais cristãos em Espírito e Verdade, sem as deturpações que os homens colocaram no Cristianismo; tem a missão relevante de espraiar os ideais cristãos por toda a Terra. Para que essa missão seja cumprida, Jesus necessita de todos aqueles que sejam capazes de sofrer perseguições, que diferentemente de outras épocas, não serão contra a nossa vida física, mas através de injúrias e difamações de nossa vida moral. Porém, o discípulo fiel tem a seu favor sempre a consciência tranquila e os seus ideais de aprendiz do Mestre Jesus.

Portanto, **em marcha** todos aqueles de nós que formos perseguidos por causa do ideal cristão, a fim de termos realmente a confiança de prosseguir, apesar das injúrias, das mentiras, das perseguições, de tudo que falam e fazem contra nós.

Nós espíritas sabemos que tudo isso provém não apenas do mundo físico. A maior parte das perseguições é proveniente do mundo espiritual inferior, oriundas de mentes muito inteligentes, mas pouco moralizadas, que se utilizam de encarnados invigilantes para perseguirem aqueles que ousam seguir os ideais cristãos.

Porém, se dermos o testemunho com firmeza, se perseverarmos até o fim, o resultado será o fortalecimento do "Reino de Deus" em nós mesmos a fim de contribuirmos efetivamente com a regeneração do planeta. E isso traz cada vez mais sentido em nossa vida, promovendo a nossa plenitude. Essa plenitude faz com que as possibilidades que se nos abrem sejam cada vez maiores nos felicitando, e só assim faremos jus ao título de bem-aventurados.

Capítulo 6

Saúde existencial: semeadura de valores do Ser

Vamos concluir este livro sobre saúde existencial estudando a Parábola do Semeador, do Evangelho de Jesus.

Em um mundo onde grande parte das pessoas está ainda doente existencialmente, buscando o **ter** como a finalidade maior da vida, em um materialismo sem sentido, diante de uma espiritualidade pujante, presente no interior de cada um de nós, aqueles que estão trabalhando em prol da saúde existencial, seja em nível individual ou em nível coletivo, ainda são vistos como pessoas tolas, que ao invés de "aproveitarem a vida" ficam buscando uma vida utopicamente saudável.

Porém, esse é o ônus que cabe àqueles de nós que já queremos vivenciar uma vida essencialmente espiritualista, sendo fiéis seguidores de Jesus, **em marcha** em direção ao Bem Maior. Nós que já sabemos e sentimos o quanto seguir esse ideal, o de seguir Jesus **em marcha** nos faz bem, sentimo-nos felicitados, tornando-nos "bem-aventurados", movimentando-nos, assim, para a construção de um mundo melhor para todos nós, o mundo regenerador que nós ansiamos em viver.

Por isso, é claro que quando falarmos e, principalmente exemplificarmos a ética, as responsabilidades individuais, o amor ao próximo, as responsabilidades sociais, ainda existirão muitas pessoas que nos olharão de esguelha, acreditando que somos tolos utópicos, porém muitas delas verão em nós fiéis seguidores de Jesus, exemplificando o Seu grande amor. No entanto, todos nós, inclusive aqueles que se acreditam espertos, mas que, em realidade se tornaram **"teres"** humanos, consciente ou subconscientemente, buscamos o amor e o bem, conforme vimos ao longo deste livro.

É fundamental para aqueles de nós que já despertamos para esses ideais, como filhos pródigos arrependidos de volta à "Casa paterna", que já estivemos no passado na posição dos **"teres"** humanos de hoje, que nos reabilitemos pelo trabalho do bem incessante, agindo como semeadores de amor no coração de cada uma das pessoas que se aproximarem de nós, em quaisquer posições que se encontrem.

A Parábola do Semeador oferece-nos uma reflexão profunda de como realizar esse ideal. Vejamo-na conforme anotação de Mateus: 13,3-9:

> Eis que o semeador saiu a semear.
> E, quando semeava, uma parte da semente caiu ao pé do caminho, e vieram as aves e comeram-na; e outra parte caiu em pedregais, onde não havia terra bastante, e logo nasceu, porque não tinha terra funda. Mas,

> vindo o sol, queimou-se e secou-se, porque não tinha raiz.
>
> E outra caiu entre espinhos, e os espinhos cresceram e sufocaram-na.
>
> E outra caiu em boa terra e deu fruto: um, a cem, outro, a sessenta, e outro, a trinta.
>
> Quem tem ouvidos para ouvir, que ouça.

Esta parábola é um verdadeiro poema de amor que Jesus declina à Humanidade, especialmente no porvir. Ela é tão profunda, que a maioria das pessoas ainda não entendeu o seu significado.

Quando analisamos a parábola, ao pé da letra, temos a impressão de que esse semeador de Jesus é um descuidado, não é mesmo? Como é que pode um agricultor pegar as sementes e semear à beira do caminho, no pedregal, no espinheiro e na boa terra? Ele deveria semear só em terra fértil, não é verdade? Qualquer agricultor consciente faz isso. Então, por que Jesus usou essa imagem de um semeador tão descuidado? Porque na verdade ele não é um semeador qualquer, esse semeador de Jesus não é um agricultor, mas representa todo aquele que semeia as sementes de amor no coração do seu próximo.

Para entender o motivo pelo qual Jesus coloca o semeador dessa maneira, é preciso analisar a parábola dentro de uma abordagem psicológica profunda. Ele está querendo chamar a atenção, não para o semeador em si, mas para o tipo de terreno em que a semente cai.

Vamos analisar a parábola no contexto que estamos

estudando – a saúde existencial –, para compreender essa aparente contradição.

A parábola chama a atenção mais para o terreno, do que para o semeador. Os diferentes tipos de terreno simbolizam os diferentes perfis psicológicos de pessoas na sociedade. Temos seis perfis na parábola: beira do caminho, pedregal, espinheiro e três perfis de boa terra que produzem 30, 60 e 100.

Na sociedade temos pessoas que se comportam como se estivessem "à beira do caminho". Essas pessoas permanecem na periferia da vida e vivem de maneira superficial, sem comprometimento com a própria vida. Esses indivíduos estão muito distantes da verdade libertadora e vivem como autômatos, distantes do real sentido da vida.

Portanto, "à beira do caminho" é uma metáfora sobre as pessoas que ainda estão na superficialidade. Estão "à beira do caminho". São aquelas pessoas que não são nem boas, nem más, estão muito superficiais ainda. A semente cai, mas não tem como germinar, naquele momento.

Outras se comportam como os "pedregais", com pouca terra, onde a semente cresce rapidamente e logo morre queimada pelo sol. Essa simbologia representa aqueles que, inicialmente, empolgam-se com a possibilidade de evoluírem, mas logo se desmotivam. Já reconhecem a verdade, mas ainda não querem se comprometer com ela.

Os que estão no movimento de "pedregal" são aqueles que já têm um indício de despertar para o bem, para o bom, para o belo, mas a terra ainda é pouca. Como é pouca, tem mais pedra do que terra, a semente cresce rápido, mas logo é crestada pelo sol.

Temos as pessoas semelhantes aos "espinheiros" que, por mais que as sementes amorosas caiam sobre elas as sufocam sob o peso dos sentimentos egoicos, tais quais: o orgulho, o egoísmo, a vaidade, a presunção, como se a vida não fosse uma dádiva divina para a própria evolução.

A pessoa que está no perfil "espinheiro" é aquela que, ao receber a semente de amor a sufoca com a rebeldia do desamor. É o perfil de pessoa que está ainda cultivando o desamor pelo desamor. É diferente dos dois primeiros, porque um deles está na superficialidade, nem bem, nem mal. O outro já tem a propensão ao bem, mas é um bem muito fugaz. O "espinheiro" é o perfil daquele que sufoca o amor, a partir do desamor. São os francamente materialistas que produzem o mal para o próximo, para terem cada vez mais.

Essas pessoas sufocam as verdades dentro de si mesmas e, normalmente, enveredam por caminhos que produzem muito sofrimento, o qual estará, posteriormente, transformando-as. Essas pessoas sufocam em si mesmas, todas as possibilidades de buscarem um sentido para a vida.

Enfim, temos os que já estão como a "boa terra", simbolizando aqueles que já buscam um sentido para a própria vida, que a veem como uma dádiva divina para sua evolução. Buscam a verdade libertadora, com o objetivo de "revolver" a terra, a fim de produzirem de acordo com a sua fertilidade.

Uns produzem trinta, representando aqueles que iniciaram um processo de fertilização da própria existência. Já estiveram em outros perfis e, graças à dor que esses perfis geraram, essas pessoas resolvem aceitar o amor divino e a produzir amor em si mesmas. A vida, para eles, começa a ter o seu verdadeiro sentido que é o de amar.

Outros produzem sessenta, referenciando aqueles que já estão em situação mediana. Despertaram há mais tempo e utilizam a verdade para transformar as suas vidas, para melhor. Conseguem perceber o verdadeiro sentido da vida e buscam vivê-la com qualidade.

Outros produzem cem, cuja representatividade assenta-se na fidelidade à verdade. Têm as suas vidas repletas de sentido, com excelente qualidade, e utilizam todos os recursos para viver o **Ser** que eles são em comunhão plena com Deus.

Qual é a diferença desses perfis em sociedade, tomando como base a classificação estudada no capítulo 4 - materialista, espiritualista-materialista e essencialmente espiritualista?

As pessoas que estão à "beira do caminho" são materialistas porque vivem de forma material, mas esse materialismo é diferente daquele vivido pelas pessoas que estão no perfil "espinheiro". Elas não são más como as que estão no perfil "espinheiro", mas ainda não despertaram para ser boas. São as pessoas superficiais, que passam pela vida, sem que a vida passe por elas.

Elas estão vivendo porque, como seres que biologicamente estão no corpo, comem, dormem, fazem as funções fisiológicas, entretanto avaliando-se essa questão sob o ponto de vista espiritual e energético, essas pessoas comportam-se como se estivessem vegetando e, por isso acabam pesando na economia social. É necessário que despertem a fertilidade latente dentro delas. Podem fazer isso através do amor, tornando-se aprendizes da vida voluntariamente, do contrário a dor vai lhes direcionar ao amor.

Já aquelas que estão no perfil "pedregal" são os espiritualistas-materialistas. São as pessoas que já têm terra, mas uma terra escassa. São pessoas que têm uma ideia da espiritualidade e da religiosidade, mas os apelos do mundo ainda falam alto.

São espiritualistas porque já conhecem em nível cerebral que existe o espírito, mas esse conhecimento é muito superficial, não é refletido para ser sentido no coração.

Usando a figura da parábola estudada podemos nos perguntar: – Como o "pedregal" vai se tornar a boa terra? Um "pedregal" pode se transformar em uma terra fértil? Se ele for arado e do terreno forem tiradas todas as pedras e afofada a terra, com toda a certeza.

Qual é o arado que a vida utiliza para transformar o "pedregal" em "terra fértil"?

A dor. É a dor que vai arar o "pedregal", erguer e retirar as pedras, transformar esse terreno em "terra fértil", com o tempo. As pessoas com perfil "pedregal" vão necessitar da dor e do sofrimento para transformá-las em "terra fértil". Como ninguém gosta de sofrer, chega o momento em que o sofrimento alcança o ponto de saturação. Nesse momento o indivíduo aceita o convite de Jesus: **"Vinde a mim todos vós que estais cansados e oprimidos [...]".**

Por que isso acontece com os que estão no perfil "pedregal"? Porque o movimento das pessoas com esse perfil é o de conhecer a verdade, mas se rebelam com relação a essa verdade. Elas não usam a verdade a seu favor, aceitando-se voluntariamente como aprendizes de Jesus, dispostos a realizar exercícios de amor, mansidão e humildade. Querem viver como materialistas, apesar do conhecimento espiritualista.

Esse estado de rebeldia gera o sofrimento, até que esse se torne insuportável. Quando se torna insuportável, a pessoa aceita o convite que Jesus fazia o tempo todo, mas que ela fazia de conta que não era com ela. Então, o sofrimento vai remover todas as pedras para transformar a terra pedregosa em "boa terra". Nesse momento, colocando o amor na dor ela se liberta do sofrimento e transforma-se na terra fértil para que a semente do amor possa germinar.

O perfil "espinheiro" é bem diferente dos outros, porque o "espinheiro" é aquele que sufoca a semente. As pessoas com esse perfil agem deliberadamente no mal. São os materialistas extremamente egoístas e egocêntricos, verdadeiros doentes existenciais, que se tornam um peso muito grande para a sociedade, conforme vimos no capítulo 4.

Enquanto o materialismo, presente no perfil daqueles que estão à "beira do caminho" produz a indiferença pela inação, ou seja, as pessoas nesse perfil passam pela vida, sem que a vida passe por elas, no perfil "espinheiro" as pessoas movidas pela indiferença, pela rebeldia contumaz e pela crueldade agem deliberadamente produzindo muito mal.

As pessoas que estão no perfil "espinheiro" são aquelas

que estão em um movimento de sufocamento do amor em si mesmas. O sufocamento do amor gera desde o mal que fazem a si mesmas, até o mal que realizam contra o próximo.

É claro que existem diferentes tipos de espinheiros. Espinheiros homéricos, até espinheiros menores. Por exemplo, existem aqueles grandes produtores do mal como um Hitler que foi um grande "espinheiro" para a Humanidade inteira, até aqueles que são "espinheiros" para a sua família, para a sua comunidade, para si mesmos. Todos dignos de muita compaixão.

Uma pessoa com perfil "espinheiro" vai se transformar na "boa terra"? Com certeza, assim também todos os demais perfis inferiores.

Todo "espinheiro" vai necessitar ser ceifado e aí, a partir da sua ceifa, com o tempo vai virar pó, apodrecer até virar húmus e se transformar em terra fértil.

E o que vai gerar essa transformação?

Aqueles que estão no perfil "espinheiro" não têm alternativa para a transformação a não ser a dor e o sofrimento, porque eles já passaram pela fase do perfil à "beira do caminho", na qual poderiam escolher ser aprendizes da vida e evoluir por amor, usando bem o livre-arbítrio. Agora que se tornaram "espinheiros" pelo abuso do livre-arbítrio só a partir da dor, conforme analisamos nos capítulos 2 e 4, que eles vão expiar, sofrendo as consequências dos "espinhos" plantados, para, somente depois dessa colheita, retornarem ao caminho amoroso, dos quais deliberadamente se afastaram.

O convite da vida é sempre de transformação, sempre

de nos colocarmos **em marcha**. Portanto, todo "espinheiro" plantado será transformado em um canteiro de flores, seja do tamanho que for, conforme nos ensina Jesus em Mateus: 5,26: **"Em verdade te digo que de maneira nenhuma sairás dali enquanto não pagares o último ceitil".**

Todos aqueles que agem de forma deliberada no mal, os tiranos de todos os matizes, quer estejam encarnados ou desencarnados, fazem uma tentativa de aniquilamento da semente de amor, da essência divina que eles próprios são, mas como a semente de amor não pode ser aniquilada, ela fica aguardando indefinidamente, até que a dor e o sofrimento transformem o "espinheiro" sufocador em terra fértil.

De quem dependerá a mudança dos três perfis inferiores para os perfis da "boa terra"? Do semeador ou da própria pessoa de determinado perfil? Dependerá da vontade da pessoa. Por isso o semeador não é um semeador qualquer. Ele não é um colhedor que precisa da "boa terra", imediatamente. O semeador somente tem o compromisso de semear, não de transformar à "beira do caminho, o pedregal e o espinheiro" em terra fértil.

No entanto, para ser semeador é necessário produzir as sementes. Portanto, somente podemos ser semeadores se já estivermos no perfil "boa terra".

Como é o perfil "boa terra"? São aqueles que já cultivam os ideais de espiritualidade e de religiosidade e se tornam essencialmente espiritualistas, evoluindo pelo amor.

Como a terra já é fértil, a semente de amor cai e imediatamente germina, produzindo a 30, 60 e a 100. Então, temos três perfis de "boa terra": a que produz 30, 60 e 100, simbolizando que cada um produz de acordo com suas obras.

Porém, essa obra não é feita fora de nós. Quando Jesus fala: **"Cada um de acordo com suas obras"** está se referindo às obras que fazemos dentro de nós, as quais se refletem fora de nós. Então, uns vão produzir trinta, outros vão produzir sessenta e outros cem, mostrando que existem diferenças naqueles que já estão no perfil "boa terra". No entanto, já estão na condição de terra fértil e, por isso conseguem obrar, produzir.

As pessoas que estão no perfil "boa terra" são aquelas que decidiram por se transformar em aprendizes da vida, que usam toda e qualquer mensagem de amor a seu favor para produzir. São aquelas pessoas que já se decidiram por vivenciar aquele tipo de vida repleta de exercícios de amor voltados para si mesmas e ao próximo como a si mesmas, tornando as suas vidas suaves e o fardo a ser carregado leve.

Por isso, cabe àqueles que já conquistaram esse perfil semearem as sementes de amor, de acordo com as suas possibilidades.

Quais serão os benefícios que o semeador obterá? Para si mesmo as bênçãos da semeadura efetuada, estando **em marcha**, conforme estudamos no capítulo anterior, referente às bem-aventuranças. Ao semear ele se torna um "bem-aventurado", não importando onde a semente vai cair. Para aqueles que, simbolicamente, representam os diferentes perfis de terreno, as sementes ficarão aguardando a fertilidade do futuro ou produzirão, caso caia na terra fértil, de acordo com a fertilidade do terreno.

Como a semeadura funciona em nível espiritual e energético? Do ponto de vista espiritual e energético as sementes de amor são tudo aquilo que dão sentido à vida, tais quais a mudança de nós mesmos para melhor, um exemplo de uma postura ética, uma ação para o bem social em favor de um mundo melhor, uma oração, um bom pensamento, um sentimento nobre, uma orientação que damos individual ou coletivamente, enfim tudo que concorre para os ideais de espiritualidade e religiosidade, que dão um sentido profundo à vida e nos torna essencialmente espiritualistas, contribuindo para a erradicação do materialismo na Terra, produtor das doenças existenciais conforme vimos neste livro.

Todas essas ações são sementes de amor imperecíveis caindo por todos os terrenos, estimulando-os a se fertilizarem.

Para entender como isso ocorre é importante que sempre vejamos as coisas de forma transpessoal, espiritual profunda porque, muitas vezes, agimos como se não soubéssemos que somos Seres espirituais imortais. Mas, não deixamos de ser, mesmo que o esqueçamos momentaneamente.

A energia mental positiva, a ação no bem, os bons pensamentos, os sentimentos nobres cultivados, a oração, são valores de suma importância para a mudança individual e coletiva a que estamos sendo convidados. Portanto, quando utilizarmos essas ferramentas, primeiro façamos a transformação em nós mesmos, alicerçando-nos com a energia mental equilibrada e com a oração, que serão sementes de luz e amor a nos autotransformar.

E, em nível da transformação das outras pessoas e nas mudanças coletivas do Planeta como um todo, as sementes de amor funcionarão como estímulos à mudança. Mesmo que uma determinada pessoa não esteja, naquele momento, disposta a assimilar as sementes de amor que houvermos semeado, devido ao fato dela se encontrar em um dos perfis ainda improdutivos, essas sementes de amor ficarão em torno do corpo fluídico do Espírito, em sua aura energética, como se fossem um néon, uma energia de luz envolvendo-a. Como essa energia de luz tem a mesma similaridade que a Essência Divina que a pessoa é, ela fica ali formando frestas, canalículos na psicosfera da pessoa.

Imagine a aura da pessoa. Mesmo que ela esteja escura, cada oração feita por ela, cada visualização positiva, cada bom pensamento, cada sentimento nobre em sua direção é como uma semente de luz, um pontinho de luz nessa aura. Esse pontinho de luz na aura é semelhante à luz que ela traz ínsita em si mesma, que é a Luz Divina que todos nós somos.

Então, essa energia ficará gravitando em sua aura. Imaginemos milhares desses pontinhos de luz reverberando na luz, que está na Essência Divina que a pessoa é, porque são de igual teor. Então, ficam ali transmitindo pequenos "choques". São fachos de luz que fazem eco na essência. Usamos essas palavras de cunho material para fazermos analogia, por falta de outros termos melhores.

Essa energia dos pontos de luz fica ali vibrando no mesmo teor que a da Energia Essencial. Por isso, gera uma energia que vem de fora que, associada à energia que vem de dentro, convidam o indivíduo, cedo ou tarde, ao despertar.

Quando a pessoa toma a decisão de mudança, essa energia é absorvida. Toda energia que fica em sua psicosfera é salutar. É por isso que a semente de amor é imperecível. No momento em que a pessoa toma a decisão de mudar de perfil, toda aquela energia vai ajudá-la a se ajudar. A ajuda das sementes de luz e de amor é algo que vem de fora para dentro. A decisão de mudança é de dentro para fora, mas a energia que vem de fora para dentro ajuda a pessoa a se ajudar, quando toma essa decisão.

A mesma coisa acontece na psicosfera do Planeta. Cada semente de amor, no sentido coletivo, que lançarmos permanecerá nessa psicosfera, formando frestas energéticas nas regiões espirituais mais densas do Planeta, auxiliando no processo de regeneração coletiva da Terra.

Cabe a cada um de nós, especialmente a nós espíritas que, para fazermos jus ao título de cristão-redivivos, nós que já aceitamos a condição de aprendizes de Jesus, e sabemos que Ele é o governador espiritual do nosso Planeta, auxiliar o Mestre, como aprendizes de amor, mansidão e humildade, realizando exercícios sempre **em marcha**, dando o testemunho, realizando a nossa parte, na redenção de nós mesmos e na regeneração do Planeta, transformando-nos em semeadores de amor.

Para isso, é fundamental confiar na Providência Divina e canalizarmos todas as nossas energias para o amor que jamais serão perdidas. Essa energia que é do mesmo teor que a luz do Ser Essencial – vai concorrer para o despertar de todos os Espíritos que vivem neste Planeta, consoante uma orientação do próprio Cristo: **"Nenhuma das ovelhas que o Pai me confiou se perderá".**

É importante lembrar que o nosso propósito existencial não é o de mudar os outros, ou o Planeta, mas o de nos autoencontrarmos desenvolvendo o "Reino de Deus" dentro de nós mesmos. É esse o nosso objetivo primordial, gerador da Saúde Existencial e, ao realizá-lo, somos convidados a agir como os semeadores, no esforço de mudança coletiva rumo à Espiritualidade Maior, conforme estudamos ao longo deste livro.

Cabe a cada um de nós vitalizar o poder real que existe em nós, a fim de entrar em um processo consciencial de eternidade, da vida não circunscrita, mas da Vida com "V" maiúsculo. Quando vemos a Vida, percebemos que este momento aqui é mínimo diante da eternidade. Porém, nesse mínimo, somos convidados a fazer o máximo que podemos. E aí as coisas acontecem não da forma como desejaríamos, mas da forma como é possível acontecer, tanto conosco, quanto com as demais pessoas.

É importante lembrar sempre a parte referente à Oração "Pai-Nosso" em que Jesus fala "[...] **Seja feita a Vossa vontade".**

Qual é a vontade de Deus para todos nós? Nossa evolução. Que melhoremos e sejamos plenamente felizes. Essa vontade de Deus – que é idêntica para todos os Seus filhos, todas as Suas criaturas – irá acontecer quando eu, criatura, quiser, ou na hora que Deus já sabe qual será?

Ele criou leis que vão nos levar até lá, custe o que custar. Essas leis são inexoráveis. Não temos como fugir desse caminho, contudo temos o poder de evoluir por nós mesmos. O outro evolui por ele mesmo. Cada um tem o seu momento de despertar e seguir o seu caminho.

Tudo o que vimos, ao longo deste livro, é a realidade e isso gera um alento. Não aquele tipo de alento por meio do qual nos autoenganamos, pois sentimos que esta realidade é assim. Sentimos que podemos, sim, tornar a nossa vida mais saudável, despertando para a Essência da Vida.

A Providência Divina vela por todos nós de modo que pratiquemos exercícios de amor, para sentirmos e vivenciarmos tudo isso plenamente.

É muito bom confiar na Providência Divina. Uma das coisas mais acalentadoras e que traz aconchego à vida é a confiança na Providência Divina que vela por nós e pelo Universo inteiro.

Temos plena certeza disso tudo, porque a energia que sentimos, quando em sintonia com Deus, estimula-nos os sentimentos nobres do amor, da mansidão, da humildade, da renúncia, da compaixão, etc., e essa energia não é possível de ser enganada.

Aqueles que não confiam na Providência Divina vivem como seres abandonados no Universo. É muito triste, muito angustiante viver assim, como doentes existenciais sem rumo, sem direção.

Nós que já estamos nessa posição de confiar, sentimos plenamente que as coisas realmente são assim, não são invenções, porque sentimos na pele, sentimos no coração, batendo mais forte, na suavidade e leveza que se torna nossa vida, não como uma crença cega, mas como uma crença refletida, sentida e vivenciada.

Essa convicção faz com que consigamos superar quaisquer dificuldades que existam, para vivenciarmos a vida de forma mais saudável e feliz. Desse modo, o Universo se abre para nós, uma vez que estamos decididos e prontos a viver uma Vida assim, repleta de sentido.

Referência Bibliográfica

CERQUEIRA, Alírio. F. *Cura espiritual da depressão.* Santo André: EBM, 2007.

------------ *Saúde espiritual.* Santo André: EBM, 2006.

FRANCO, Divaldo P. *Triunfo pessoal.* Pelo Espírito Joanna de Ângelis. Salvador: Leal, 2002.

------------ *Depoimentos vivos.* Diversos Espíritos. Salvador: Leal, 1984.

------------*Tormentos da obsessão.* Espírito Manoel P. Miranda. Salvador: Leal, 2001.

KARDEC, Allan. *A gênese.* 37ª ed. Rio de Janeiro: FEB, 1944.

----------- *O céu e o inferno.* 40ª ed. Rio de Janeiro: FEB, 1944.

----------- *O evangelho segundo o espiritismo.* 112ª ed. Rio de Janeiro: FEB, 1944.

----------- O *livro dos espíritos.* 83ª ed. Rio de Janeiro: FEB, 1944.

Novo Testamento. Trad. João Ferreira de Almeida. Campinas: Geo-gráfica, 2000.

wi-fi

fepb salao

fepb auditorio